Sommaire

Introduction 5

LETTRES PERSANES
Extraits et questionnaires

Les Troglodytes
Lettre 10 8
Lettre 11 9
Lettre 12 13
Lettre 13 16
Lettre 14 19

La découverte de Paris
Lettre 24 27

La satire des mœurs
Lettre 28 36
Lettre 30 38
Lettre 45 40
Lettre 50 42
Lettre 99 44

L'actualité et la satire politique
Lettre 37 52
Lettre 92 53
Lettre 107 55
Lettre 138 57
Lettre 140 60

La satire religieuse
Lettre 29 67
Lettre 35 70
Lettre 46 72
Lettre 75 74
Lettre 85 76

La condition féminine

Lettre 20 85
Lettre 23 87
Lettre 26 88
Lettre 38 92

Le roman du sérail

Lettre 147 101
Lettre 148 102
Lettre 149 102
Lettre 150 103
Lettre 151 103
Lettre 152 105
Lettre 153 106
Lettre 154 106
Lettre 155 107
Lettre 156 108
Lettre 157 109
Lettre 158 110
Lettre 159 111
Lettre 160 112
Lettre 161 113

Les deux préfaces

Préface 121
Quelques réflexions sur les *Lettres persanes* 123

DOSSIER BIBLIOCOLLÈGE

Schéma narratif 134
Il était une fois Montesquieu 135
Vivre au temps des *Lettres persanes* 142
Les *Lettres persanes* : un roman épistolaire 147
Groupement de textes : « La satire au XVIIIe siècle » 152
Bibliographie 160

biblio collège

Lettres persanes

Choix de lettres

Montesquieu

Texte conforme à l'édition de 1758, avec une orthographe modernisée

Notes, questionnaires et Dossier Bibliocollège
par **Stéphane GUINOISEAU**,
agrégé de Lettres modernes,
professeur en collège

Crédits photographiques
p. 5 : Photo Michèle Bellot © RMN. **pp. 7, 26, 35, 51, 66, 84, 100, 120 :** *Portrait d'homme* (détail), peinture de Jean-Bernard Restout (1732-1797), Musée des Beaux-Arts de Rouen, Photo © Bridgeman/Giraudon. **p. 20 :** Photo © BnF. **pp. 25, 31, 46, 65 :** Photo Photothèque Hachette Livre. **p. 79 :** Bibliothèque des arts décoratifs, Paris, France, Photo © Archives Charmet – Bridgeman/Giraudon. **p. 99 :** Musée des arts décoratifs, Paris, France, Photo © Bridgeman/Giraudon. **p. 115 :** Photo Photothèque Hachette Livre. **p. 129 :** Photo Photothèque Hachette Livre. **p. 135 :** portrait de Montesquieu, gravure de Henriquez, Photo Photothèque Hachette Livre.

Conception graphique

Couverture : *Laurent Carré*

Intérieur : *ELSE*

Mise en page

Médiamax

Illustration des questionnaires

Harvey Stevenson

ISBN : 978-2-01-168692-3

Introduction

Bien qu'elles fussent publiées anonymement et imprimées dans un pays étranger, les *Lettres persanes* devinrent rapidement un best-seller. Dès leur parution en 1721, elles assurèrent la renommée de Montesquieu parmi les intellectuels de l'époque. L'indignation, les réflexions lucides et subversives sont coulées dans une intrigue orientale simple et ce premier roman, l'une des premières manifestations de l'esprit des Lumières, est un coup de maître.

Homme en costume persan (1820-1829), aquarelle d'Eugène Delacroix (1798-1863), Paris, Musée du Louvre.

Deux Persans quittent leur pays et s'installent pour de longues années à Paris. L'un, Rica, jeune et insouciant, découvre avec entrain une société parisienne qu'il observe d'un œil espiègle et jette un regard amusé, satirique et souvent « perçant » sur les ridicules qu'il découvre. L'autre, Usbek, principal témoin des *Lettres persanes*, est un sage qui a fui la corruption d'une cour d'Ispahan devenue menaçante pour sa tranquillité. L'intellectuel oriental va distribuer coups de becs, pointes ironiques

et réflexions d'envergure sur des us et coutumes bien exotiques pour lui : ceux de la société française d'Ancien Régime. Raisonneur et critique, Usbek s'attaque à l'organisation de cette société, à ses pouvoirs quand Rica dresse des portraits et se moque des modes. Mais le sage Usbek a laissé quelques femmes dans un harem et les maintient enfermées. Son libéralisme comme ses grands discours ont des limites... Montesquieu qui dédouble sa critique grâce à ses deux personnages s'est aussi amusé à créer un Usbek bien ambigu !
Montesquieu donne un roman mêlé où, comme il l'écrit en 1754, son ambition est de « *joindre de la philosophie, de la politique, de la morale à un roman* ». Le livre est à l'image des curiosités de l'auteur : multiple et inépuisable. Un lien évident tout de même dans ce foisonnement : l'esprit des Lumières insuffle son insolence décapante !
Pour donner plus d'efficacité à sa satire, Montesquieu invente, avec les *Lettres persanes*, une formule originale : le roman épistolaire avec plusieurs rédacteurs. Les lettres écrites par les Persans et leurs correspondants permettent une écriture à la première personne qui dissimule souvent la voix de Montesquieu. Souvent mais pas toujours, telle est la ruse qui protège. Ce n'est pas Montesquieu qui parle mais Rica, mais Usbek ! Un peu comme le dramaturge fait parler les personnages qu'il invente. Grâce à cette délégation de discours, la critique se fait plus virulente, la verve se libère. Le stratagème romanesque permet toutes les libertés !
Les *Lettres persanes* comptent 161 lettres. Nous avons choisi les plus significatives, réparties ici en huit chapitres pour rendre compte de la diversité des tons, des genres et des thèmes de l'œuvre. Cet apéritif donnera-t-il, à quelque utopique et vorace lecteur, l'envie de mordre à pleines dents dans ce livre imprévisible, inépuisable et savoureux ? Nous l'espérons car la lecture de l'œuvre intégrale demeure irremplaçable.

Les Troglodytes

Les échanges épistolaires entre Usbek et ses amis, ses femmes ou ses serviteurs restés à Ispahan occupent la première partie des *Lettres persanes,* jusqu'à la lettre 24. Le voyageur a encore les yeux tournés vers l'Orient. Il a confié la garde de son harem à un eunuque investi des pleins pouvoirs et vogue vers Paris en compagnie de son ami Rica. Les deux Persans « *ont renoncé aux douceurs d'une vie tranquille pour aller chercher laborieusement la sagesse* » (lettre 1). Vaste programme qui ne déclenche guère l'enthousiasme des épouses d'Usbek restées recluses au sérail (lettres 3, 4 et 7). Le voyage d'Usbek ressemble fort à un exil volontaire : son refus des flatteries courtisanes et sa vertu lui ont valu des ennuis dans une cour de Perse dominée par la corruption, les manœuvres et la soumission (lettre 8). Petit tyran jaloux dans la vie privée, Usbek est aussi, dans la vie publique, un rebelle aux idées parfois généreuses… L'épisode des Troglodytes constitue une petite parenthèse. Usbek répond par un apologue à une question encore actuelle : les hommes peuvent-ils vivre en société sans justice ?

Lettre 10
Mirza à son ami Usbek, à Erzeron[1]

Tu étais le seul qui pût me dédommager[2] de l'absence de Rica, et il n'y avait que Rica qui pût me consoler de la tienne. Tu nous manques, Usbek : tu étais l'âme de notre Société. Qu'il faut de violence pour rompre les
5 engagements que le cœur et l'esprit ont formés !
Nous disputons[3] ici beaucoup ; nos disputes roulent ordinairement sur la morale. Hier on mit en question si les hommes étaient heureux par les plaisirs et les satisfactions des sens, ou par la pratique de la vertu. Je t'ai souvent ouï[4]
10 dire que les hommes étaient nés pour être vertueux, et que la justice est une qualité qui leur est aussi propre que l'existence. Explique-moi, je te prie, ce que tu veux dire.
J'ai parlé à des mollaks[5], qui me désespèrent avec leurs passages de l'Alcoran[6] : car je ne leur parle pas comme
15 vrai croyant, mais comme homme, comme citoyen, comme père de famille.
Adieu.

D'Ispahan, le dernier de la lune de Saphar[7], 1711.

notes

1. Erzeron : ville de Turquie.

2. dédommager : consoler, distraire.

3. disputons : débattons.

4. ouï : entendu.

5. mollaks : (ou mollahs) docteurs en droit coranique.

6. l'Alcoran : le Coran.

7. Saphar : mois persan correspondant, dans notre calendrier, au mois d'avril. Montesquieu utilise le calendrier persan pour dater l'envoi des lettres. Voici la correspondance entre les mois des deux calendriers : Zilcadé = janvier ; Zilhagé = février ; Maharram = mars ; Saphar = avril ; Rebiab 1 = mai ; Rebiab 2 = juin ; Gemmadi 1 = juillet ; Gemmadi 2 = août ; Rhegeb = septembre ; Chabban = octobre ; Rhamazan = novembre ; Chalval = décembre.

Lettre 11
Usbek à Mirza, à Ispahan

Tu renonces à ta raison pour essayer[1] la mienne ; tu descends jusqu'à me consulter ; tu me crois capable de t'instruire. Mon cher Mirza, il y a une chose qui me flatte encore plus que la bonne opinion que tu as conçue
5 de moi : c'est ton amitié qui me la procure.

Pour remplir ce que tu me prescris, je n'ai pas cru devoir employer des raisonnements fort abstraits : il y a certaines vérités qu'il ne suffit pas de persuader[2], mais qu'il faut encore faire sentir. Telles sont les vérités de morale. Peut-
10 être que ce morceau d'histoire te touchera plus qu'une philosophie subtile.

Il y avait en Arabie[3] un petit peuple appelé *Troglodyte*[4], qui descendait de ces anciens Troglodytes qui, si nous en croyons les historiens, ressemblaient plus à des bêtes qu'à
15 des hommes. Ceux-ci n'étaient point si contrefaits[5] : ils n'étaient point velus comme des ours ; ils ne sifflaient point ; ils avaient deux yeux ; mais ils étaient si méchants et si féroces qu'il n'y avait parmi eux aucun principe d'équité ni de justice.

20 Ils avaient un roi d'une origine étrangère, qui, voulant corriger la méchanceté de leur naturel, les traitait sévèrement. Mais ils conjurèrent contre lui, le tuèrent et exterminèrent toute la famille royale.

notes

1. essayer : éprouver.

2. persuader : faire admettre par la persuasion.

3. Arabie : péninsule arabique, située entre la Mer rouge et les golfes Arabo-persique et d'Oman.

4. Troglodyte : peuple qui vivait dans les anfractuosités des rochers.

5. contrefaits : difformes.

Le coup étant fait, ils s'assemblèrent pour choisir un gouvernement, et, après bien des dissensions, ils créèrent des magistrats. Mais, à peine les eurent-ils élus, qu'ils leur devinrent insupportables, et ils les massacrèrent encore.

Ce peuple, libre de ce nouveau joug[1], ne consulta plus que son naturel sauvage ; tous les particuliers convinrent qu'ils n'obéiraient plus à personne ; que chacun veillerait uniquement à ses intérêts, sans consulter ceux des autres.

Cette résolution unanime flattait extrêmement tous les particuliers. Ils disaient : « Qu'ai-je affaire d'aller me tuer à travailler pour des gens dont je ne me soucie point ? Je penserai uniquement à moi ; je vivrai heureux. Que m'importe que les autres le soient ? Je me procurerai tous mes besoins, et, pourvu que je les aie, je ne me soucie point que tous les autres Troglodytes soient misérables. »

On était dans le mois où l'on ensemence les terres. Chacun dit : « Je ne labourerai mon champ que pour qu'il me fournisse le blé qu'il me faut pour me nourrir : une plus grande quantité me serait inutile ; je ne prendrai point de la peine pour rien. »

Les terres de ce petit royaume n'étaient pas de même nature : il y en avait d'arides et de montagneuses, et d'autres qui, dans un terrain bas, étaient arrosées de plusieurs ruisseaux. Cette année, la sécheresse fut très grande, de manière que les terres qui étaient dans les lieux élevés manquèrent[2] absolument, tandis que celles qui purent être arrosées furent très fertiles. Ainsi les peuples des montagnes périrent presque tous de faim par la dureté des autres, qui leur refusèrent de partager la récolte.

notes

1. *joug* : contrainte.

2. *manquèrent* : ne levèrent pas (en parlant de semences).

L'année d'ensuite fut très pluvieuse ; les lieux élevés se trouvèrent d'une fertilité extraordinaire, et les terres basses furent submergées. La moitié du peuple cria une seconde fois famine ; mais ces misérables trouvèrent des gens aussi durs qu'ils l'avaient été eux-mêmes.

Un des principaux habitants avait une femme fort belle ; son voisin en devint amoureux et l'enleva. Il s'émut[1] une grande querelle, et, après bien des injures et des coups, ils convinrent de s'en remettre à la décision d'un Troglodyte qui, pendant que la République subsistait, avait eu quelque crédit[2]. Ils allèrent à lui et voulurent lui dire leurs raisons. « Que m'importe, dit cet homme, que cette femme soit à vous ou à vous ? J'ai mon champ à labourer ; je n'irai peut-être pas employer mon temps à terminer vos différends et à travailler à vos affaires, tandis que je négligerai les miennes. Je vous prie de me laisser en repos et de ne m'importuner plus[3] de vos querelles. » Là-dessus il les quitta et s'en alla travailler sa terre. Le ravisseur, qui était le plus fort, jura qu'il mourrait plutôt que de rendre cette femme, et l'autre, pénétré[4] de l'injustice de son voisin et de la dureté du juge, s'en retournait désespéré, lorsqu'il trouva dans son chemin une femme jeune et belle, qui revenait de la fontaine. Il n'avait plus de femme ; celle-là lui plut, et elle lui plut bien davantage lorsqu'il apprit que c'était la femme de celui qu'il avait voulu prendre pour juge, et qui avait été si peu sensible à son malheur. Il l'enleva et l'emmena dans sa maison.

Il y avait un homme qui possédait un champ assez fertile, qu'il cultivait avec grand soin. Deux de ses voisins s'unirent

notes

1. s'émut : éclata.

2. crédit : autorité, influence.

3. ne m'importuner plus : ne plus me déranger.

4. pénétré : convaincu.

ensemble, le chassèrent de sa maison, occupèrent son champ ; ils firent entre eux une union pour se défendre contre tous ceux qui voudraient l'usurper, et effectivement
85 ils se soutinrent par là pendant plusieurs mois. Mais un des deux, ennuyé de partager ce qu'il pouvait avoir tout seul, tua l'autre et devint seul maître du champ. Son empire ne fut pas long : deux autres Troglodytes vinrent l'attaquer ; il se trouva trop faible pour se défendre, et il fut massacré.
90 Un Troglodyte presque tout nu vit de la laine qui était à vendre ; il en demanda le prix. Le marchand dit en lui-même : « Naturellement je ne devrais espérer de ma laine qu'autant d'argent qu'il en faut pour acheter deux mesures de blé ; mais je la vais vendre quatre fois davantage[1], afin
95 d'avoir huit mesures. » Il fallut en passer par là et payer le prix demandé. « Je suis bien aise, dit le marchand ; j'aurai du blé à présent. – Que dites-vous ? reprit l'acheteur. Vous avez besoin de blé ? J'en ai à vendre. Il n'y a que le prix qui vous étonnera peut-être : car vous saurez que le
100 blé est extrêmement cher, et que la famine règne presque partout. Mais rendez-moi mon argent, et je vous donnerai une mesure de blé : car je ne veux pas m'en défaire autrement, dussiez-vous crever de faim. »
Cependant une maladie cruelle ravageait la contrée. Un
105 médecin habile y arriva du pays voisin et donna ses remèdes si à propos qu'il guérit tous ceux qui se mirent dans ses mains. Quand la maladie eut cessé, il alla chez tous ceux qu'il avait traités[2] demander son salaire ; mais il ne trouva que des refus. Il retourna dans son pays, et il y arriva
110 accablé des fatigues d'un si long voyage. Mais bientôt après

notes

1. davantage : plus. ***2. traités :*** soignés.

il apprit que la même maladie se faisait sentir de nouveau et affligeait plus que jamais cette terre ingrate. Ils allèrent à lui cette fois et n'attendirent pas qu'il vînt chez eux. « Allez, leur dit-il, hommes injustes ! Vous avez dans l'âme
115 un poison plus mortel que celui dont vous voulez guérir ; vous ne méritez pas d'occuper une place sur la Terre, parce que vous n'avez point d'humanité, et que les règles de l'équité vous sont inconnues. Je croirais offenser les Dieux, qui vous punissent, si je m'opposais à la justice de leur
120 colère. »

D'Erzeron, le 3 de la lune de Gemmadi 2, 1711.

Lettre 12

Usbek au même, à Ispahan

Tu as vu, mon cher Mirza, comment les Troglodytes périrent par leur méchanceté même et furent les victimes de leurs propres injustices. De tant de familles, il n'en resta que deux qui échappèrent aux malheurs de la Nation. Il y avait
5 dans ce pays deux hommes bien singuliers : ils avaient de l'humanité ; ils connaissaient la justice ; ils aimaient la vertu. Autant liés par la droiture de leur cœur que par la corruption de celui des autres, ils voyaient la désolation générale et ne la ressentaient que par la pitié ; c'était le
10 motif d'une union nouvelle. Ils travaillaient avec une sollicitude[1] commune pour l'intérêt commun ; ils n'avaient de

note

1. sollicitude : souci.

différends que ceux qu'une douce et tendre amitié faisait naître ; et, dans l'endroit du pays le plus écarté, séparés de leurs compatriotes indignes de leur présence, ils menaient une vie heureuse et tranquille. La terre semblait produire d'elle-même, cultivée par ces vertueuses mains.

Ils aimaient leurs femmes, et ils en étaient tendrement chéris. Toute leur attention était d'élever leurs enfants à la vertu. Ils leur représentaient sans cesse les malheurs de leurs compatriotes et leur mettaient devant les yeux cet exemple si triste ; ils leur faisaient surtout sentir que l'intérêt des particuliers se trouve toujours dans l'intérêt commun ; que vouloir s'en séparer, c'est vouloir se perdre ; que la vertu n'est point une chose qui doive nous coûter ; qu'il ne faut point la regarder comme un exercice pénible ; et que la justice pour autrui est une charité pour nous.

Ils eurent bientôt la consolation des pères vertueux qui est d'avoir des enfants qui leur ressemblent. Le jeune peuple qui s'éleva sous leurs yeux s'accrut par d'heureux mariages : le nombre augmenta ; l'union fut toujours la même, et la vertu, bien loin de s'affaiblir dans la multitude, fut fortifiée, au contraire, par un plus grand nombre d'exemples.

Qui pourrait représenter ici le bonheur de ces Troglodytes ? Un peuple si juste devait être chéri des Dieux. Dès qu'il ouvrit les yeux pour les connaître, il apprit à les craindre, et la Religion vint adoucir dans les mœurs ce que la Nature y avait laissé de trop rude.

Ils instituèrent des fêtes en l'honneur des Dieux : les jeunes filles, ornées de fleurs, et les jeunes garçons les célébraient par leurs danses et par les accords d'une musique champêtre. On faisait ensuite des festins où la joie ne régnait pas

moins que la frugalité[1]. C'était dans ces assemblées que parlait la Nature naïve : c'est là qu'on apprenait à donner
45 le cœur et à le recevoir ; c'est là que la pudeur virginale faisait en rougissant un aveu surpris, mais bientôt confirmé par le consentement des pères ; et c'est là que les tendres mères se plaisaient à prévoir de loin une union douce et fidèle.

50 On allait au Temple pour demander les faveurs des Dieux ; ce n'était pas les richesses et une onéreuse[2] abondance : de pareils souhaits étaient indignes des heureux Troglodytes ; ils ne savaient les désirer que pour leurs compatriotes. Ils n'étaient au pied des autels que pour demander la santé de
55 leurs pères, l'union de leurs frères, la tendresse de leurs femmes, l'amour et l'obéissance de leurs enfants. Les filles y venaient apporter le tendre sacrifice de leur cœur et ne leur demandaient d'autre grâce que celle de pouvoir rendre un Troglodyte heureux.

60 Le soir, lorsque les troupeaux quittaient les prairies, et que les bœufs fatigués avaient ramené la charrue, ils s'assemblaient, et, dans un repas frugal, ils chantaient les injustices des premiers Troglodytes et leurs malheurs, la vertu renaissante avec un nouveau peuple et sa félicité[3]. Ils célébraient
65 les grandeurs des Dieux, leurs faveurs toujours présentes aux hommes qui les implorent, et leur colère inévitable à ceux qui ne les craignent pas ; ils décrivaient ensuite les délices de la vie champêtre et le bonheur d'une condition toujours parée de l'innocence. Bientôt ils s'abandonnaient
70 à un sommeil que les soins et les chagrins n'interrompaient jamais.

notes

1. *frugalité* : sobriété, modération.

2. *onéreuse* : coûteuse.

3. *félicité* : bonheur.

La Nature ne fournissait pas moins à leurs désirs qu'à leurs besoins. Dans ce pays heureux, la cupidité[1] était étrangère : ils se faisaient des présents où celui qui donnait croyait tou-
75 jours avoir l'avantage. Le peuple troglodyte se regardait comme une seule famille : les troupeaux étaient presque toujours confondus ; la seule peine qu'on s'épargnait ordinairement, c'était de les partager.

D'Erzeron, le 6 de la lune de Gemmadi 2, 1711.

Lettre 13

Usbek au même

Je ne saurais assez te parler de la vertu des Troglodytes. Un d'eux disait un jour : « Mon père doit demain labourer son champ ; je me lèverai deux heures avant lui, et, quand il ira à son champ, il le trouvera tout labouré. »
5 Un autre disait en lui-même : « Il me semble que ma sœur a du goût pour un jeune Troglodyte de nos parents ; il faut que je parle à mon père, et que je le détermine à faire ce mariage. »

On vint dire à un autre que des voleurs avaient enlevé son

note

1. cupidité : intérêt excessif pour l'argent.

10 troupeau : « J'en suis bien fâché, dit-il ; car il y avait une génisse[1] toute blanche que je voulais offrir aux Dieux. »
On entendait dire à un autre : « Il faut que j'aille au Temple remercier les Dieux : car mon frère que mon père aime tant, et que je chéris si fort, a recouvré[2] la santé. »
15 Ou bien : « Il y a un champ qui touche celui de mon père, et ceux qui le cultivent sont tous les jours exposés aux ardeurs du Soleil ; il faut que j'aille y planter deux arbres, afin que ces pauvres gens puissent aller quelquefois se reposer sous leur ombre. »
20 Un jour que plusieurs Troglodytes étaient assemblés, un vieillard parla d'un jeune homme qu'il soupçonnait d'avoir commis une mauvaise action, et lui en fit des reproches. « Nous ne croyons pas qu'il ait commis ce crime, dirent les jeunes Troglodytes, mais, s'il l'a fait, puisse-t-il mourir le
25 dernier de sa famille ! »
On vint dire à un Troglodyte que des étrangers avaient pillé sa maison et avaient tout emporté. « S'ils n'étaient pas injustes, répondit-il, je souhaiterais que les Dieux leur en donnassent un plus long usage qu'à moi. »
30 Tant de prospérités ne furent pas regardées sans envie ; les peuples voisins s'assemblèrent, et, sous un vain prétexte, ils résolurent d'enlever leurs troupeaux. Dès que cette résolution fut connue, les Troglodytes envoyèrent au-devant d'eux des ambassadeurs, qui leur parlèrent ainsi :
35 « Que vous ont fait les Troglodytes ? Ont-ils enlevé vos femmes, dérobé vos bestiaux, ravagé vos campagnes ? Non : nous sommes justes, et nous craignons les Dieux. Que demandez-vous donc de nous ? Voulez-vous de la

notes

1. génisse : jeune vache.

2. recouvré : retrouvé.

laine pour vous faire des habits ? Voulez-vous du lait pour
40 vos troupeaux ou des fruits de nos terres ? Mettez bas[1] les
armes ; venez au milieu de nous, et nous vous donnerons
de tout cela. Mais nous jurons, par ce qu'il y a de plus sacré,
que, si vous entrez dans nos terres comme ennemis, nous
vous regarderons comme un peuple injuste, et que nous
45 vous traiterons comme des bêtes farouches. »

Ces paroles furent renvoyées avec mépris : ces peuples sauvages entrèrent armés dans la terre des Troglodytes, qu'ils
ne croyaient défendus que par leur innocence.

Mais ils étaient bien disposés à la défense : ils avaient mis
50 leurs femmes et leurs enfants au milieu d'eux. Ils furent
étonnés de l'injustice de leurs ennemis, et non pas de leur
nombre. Une ardeur nouvelle s'était emparée de leur
cœur : l'un voulait mourir pour son père ; un autre, pour
sa femme et ses enfants ; celui-ci, pour ses frères ; celui-là,
55 pour ses amis ; tous, pour le peuple troglodyte. La place de
celui qui expirait était d'abord prise par un autre, qui, outre
la cause commune, avait encore une mort particulière à
venger.

Tel fut le combat de l'Injustice et de la Vertu ; ces peuples
60 lâches, qui ne cherchaient que le butin, n'eurent pas honte
de fuir, et ils cédèrent à la vertu des Troglodytes, même sans
en être touchés.

D'Erzeron, le 9 de la lune de Gemmadi 2, 1711.

note

1. ***mettez bas :*** abandonnez.

Lettre 14
Usbek au même

Comme le Peuple grossissait tous les jours, les Troglodytes crurent qu'il était à propos de se choisir un roi. Ils convinrent qu'il fallait déférer[1] la couronne à celui qui était le plus juste, et ils jetèrent tous les yeux sur un vieillard vénérable par son âge et par une longue vertu. Il n'avait pas voulu se trouver à cette assemblée ; il s'était retiré dans sa maison, le cœur serré de tristesse.

Lorsqu'on lui envoya des députés pour lui apprendre le choix qu'on avait fait de lui : « À Dieu ne plaise, dit-il, que je fasse ce tort aux Troglodytes, que l'on puisse croire qu'il n'y a personne parmi eux de plus juste que moi ! Vous me déférez la couronne, et, si vous le voulez absolument, il faudra bien que je la prenne. Mais comptez que je mourrai de douleur d'avoir vu en naissant les Troglodytes libres et de les voir aujourd'hui assujettis[2]. » À ces mots, il se mit à répandre un torrent de larmes. « Malheureux jour, disait-il ; et pourquoi ai-je tant vécu ? » Puis il s'écria d'une voix sévère : « Je vois bien ce que c'est, ô Troglodytes ! votre vertu commence à vous peser. Dans l'état où vous êtes, n'ayant point de chef, il faut que vous soyez vertueux malgré vous : sans cela vous ne sauriez subsister, et vous tomberiez dans le malheur, de vos premiers pères. Mais ce joug vous paraît trop dur ; vous aimez mieux être soumis à un prince et obéir à ses lois, moins rigides que vos mœurs. Vous savez que, pour lors, vous pourrez contenter votre

notes

1. *déférer* : accorder.

2. *assujettis* : soumis.

ambition, acquérir des richesses et languir[1] dans une lâche volupté, et que, pourvu que vous évitiez de tomber dans les grands crimes, vous n'aurez pas besoin de la vertu. » Il s'arrêta un moment, et ses larmes coulèrent plus que jamais. « Et que prétendez-vous que je fasse ? Comment se peut-il que je commande quelque chose à un Troglodyte ? Voulez-vous qu'il fasse une action vertueuse parce que je la lui commande, lui qui la ferait tout de même sans moi et par le seul penchant de la nature ? Ô Troglodytes ! je suis à la fin de mes jours ; mon sang est glacé dans mes veines ; je vais bientôt revoir vos sacrés aïeux. Pourquoi voulez-vous que je les afflige, et que je sois obligé de leur dire que je vous ai laissés sous un autre joug que celui de la Vertu ? »

D'Erzeron, le 10 de la lune de Gemmadi 2, 1711.

Courtisan persan, miniature du XVIIe siècle.

note

1. languir : dépérir.

Au fil du texte

Questions sur « Les Troglodytes » (lettres 10, 11, 12, 13 et 14, pp. 8 à 20)

Avez-vous bien lu ?

1. Quels sont les deux personnages qui échangent des lettres dans ce passage ?

2. Dans quelle ville sont-ils installés respectivement ?

3. Comment qualifieriez-vous la relation entre les deux personnages ? (Vous pouvez vous aider du début de la lettre 11.)

4. Pourquoi Usbek raconte-t-il l'histoire des Troglodytes ?

5. Combien de lettres ce récit occupe-t-il ?

6. Combien de familles échappent (lettre 12) aux malheurs de la nation Troglodyte ?

7. Quelle qualité principale les distingue des autres Troglodytes ?

8. Ces familles « d'exception » ont-elles une pratique religieuse ?

9. Pour quelle raison les heureux Troglodytes de la lettre 13 suscitent-ils l'envie des peuples voisins ?

10. Pourquoi les Troglodytes se choisissent-ils un roi dans la lettre 14 ?

épistolaire : **de lettres.**

auteur : **la personne réelle qui a écrit le texte.**

narrateur : **la personne fictive (dans un roman) qui raconte les événements.**

fiction : **construction inventée.**

Étudier le discours

11. Quels éléments du texte montrent que nous lisons un échange épistolaire* ?

12. Qui est l'auteur* de ces lettres ? Qui en sont les narrateurs* ? S'agit-il d'un texte de fiction* ou de témoignages réels ?

13. Qui prononce le discours qui conclut la lettre 11 ? Ce personnage décide-t-il de se venger ? Citez deux exemples de vengeance présents dans cette lettre.

ÉTUDIER UN THÈME : L'INJUSTICE

14. Relevez les apparitions du mot *« naturel »* dans la lettre 11. L'homme est-il, selon le narrateur*, naturellement bon ?

15. Qu'est-ce que l'altruisme ? À quoi peut-on l'opposer ? Montrez que cette opposition est présente ici et citez deux phrases qui pourraient l'illustrer dans la lettre 11.

16. Montrez que l'absence de justice est un sujet important dans la lettre 11. Quelles conséquences peut avoir cette absence de justice ?

17. Qui les Troglodytes élisent-ils comme roi ? Pourquoi ?

18. Comment ce roi désigné réagit-il ? Pourquoi met-il en garde les Troglodytes ?

étymologie : l'origine du mot.

synonyme : mot de signification très proche ou identique.

antonyme : mot de signification opposée.

radical : élément minimal qui forme le noyau du mot.

préfixe : élément qui précède le radical d'un mot.

ÉTUDIER LE VOCABULAIRE ET LA GRAMMAIRE

19. Cherchez l'étymologie* de « troglodyte » puis donnez sa signification actuelle. Y a-t-il encore des populations troglodytes selon vous ?

20. Que veut dire le mot « vertu » ? Apparaît-il souvent dans ces quelques lettres ?

21. Donnez deux synonymes* et un antonyme* du mot *« dissension »*.

22. Donnez deux mots construits avec le même radical* et le même préfixe* que « submerger », puis trouvez trois mots construits avec le même radical et un préfixe différent.

23. Donnez la signification du radical d'*« implorer »* (lettre 12, l. 66), puis trois mots de la même famille* que vous emploierez chacun dans une phrase.

24. *« Tu étais le seul qui pût me dédommager de l'absence de Rica, et il n'y avait que Rica qui pût me consoler de la tienne »* (lettre 10, l. 1 à 3). À quel temps et à quel mode le verbe *« pût »* est-il conjugué ? Expliquez pourquoi puis remplacez les verbes à l'imparfait par des verbes au présent et faites les transformations nécessaires.

25. Quel est le temps du verbe *« fournisse »* (lettre 11, l. 40-41) ? Conjuguez-le à toutes les personnes, même temps, même mode, après avoir expliqué pourquoi ces derniers apparaissent dans la phrase initiale.

famille de mots : **série de mots formés à partir du même radical.**

maxime : **formule énonçant une vérité générale.**

figure de style : **utilisation originale du langage pour produire un effet sur le lecteur.**

ÉTUDIER L'ÉCRITURE

26. Relevez quelques maximes* dans la première partie de la lettre 12.

27. Quelle figure de style* est présente dans l'expression : *« répandre un torrent de larmes »* (lettre 14, l. 16) ?

28. Quel mot revient plusieurs fois dans le discours du vieillard, lettre 14 ? Comment comprendre cette répétition ?

ÉTUDIER L'ORTHOGRAPHE

29. Le mot *« charrue »* (lettre 12, l. 61) prend deux *r*. Est-ce le cas des autres mots composés sur le radical* « char » ?

30. Réécriture. Remplacez le pronom personnel « ils » par « il » dans le passage : *« Ils n'étaient point velus comme des ours* [...] *; toute la famille royale. »* (lettre 11, l. 15-23).

ÉTUDIER LE GENRE : RÉCIT MYTHIQUE ET RÉCIT HISTORIQUE

31. Le récit des Troglodytes est-il selon vous un récit historique* ou un mythe* ?

32. Qu'appelle-t-on l'âge d'or dans un mythe ?

33. Dans quelle lettre les Troglodytes vivent-ils leur « âge d'or » ? Montrez-le précisément en citant quelques passages qui illustreront ce thème.

récit historique : **récit relatant des faits réels advenus dans le passé.**

mythe : **récit fabuleux ; ici légende.**

À VOS PLUMES !

34. Imaginez la réponse que fait un Troglodyte au vénérable vieillard de la lettre 14.

35. Racontez la suite de l'histoire des Troglodytes dans une lettre.

LIRE L'IMAGE

Voir document p. 25.

36. Faites une recherche sur Internet sur le château de la Brède. (Tapez « La Brède » pour trouver le site de la municipalité qui offre une page intéressante sur le château de la famille Montesquieu, puis cherchez des informations supplémentaires sur d'autres sites.)

37. Quel est le style architectural de ce château ? Précisez les caractéristiques principales de ce style.

Château de la Brède, demeure de Montesquieu.

La découverte de Paris

Partis d'Ispahan le 19 mars 1711, nos deux Persans rejoignent Paris début mai 1712. Ils ont traversé la Turquie puis la Méditerranée avant de faire une escale italienne à Livourne. La lettre 24 marque une nouvelle étape dans leur progression : c'est la première lettre écrite depuis Paris, aboutissement du périple et asile pour un séjour qui durera au moins 8 ans et demi. Au terme du roman, en 1720, Usbek et Rica ne sont toujours pas retournés en Perse malgré l'humeur parfois nostalgique du premier.

Un nouvel épistolier volontiers sarcastique et ironique intervient avec cette lettre : Rica. Selon Usbek, ce compagnon de route se caractérise par la *« force de sa constitution, sa jeunesse et sa gaieté naturelle »* (lettre 27). Désormais, bon nombre de lettres raconteront la découverte de cette société parisienne souvent exotique, surprenante et déroutante pour nos deux immigrés orientaux. La lettre 24 offre une entrée en matière assez retentissante pour une satire que les *Lettres persanes* vont, au fil de la correspondance, approfondir, multipliant portraits amusants, descriptions burlesques et critiques virulentes…

Lettre 24

Rica à Ibben, à Smyrne[1]

Nous sommes à Paris depuis un mois, et nous avons toujours été dans un mouvement[2] continuel. Il faut bien des affaires avant qu'on soit logé, qu'on ait trouvé les gens à qui on est adressé, et qu'on se soit pourvu des choses nécessaires, qui manquent toutes à la fois.

Paris est aussi grand qu'Ispahan[3]. Les maisons y sont si hautes qu'on jugerait qu'elles ne sont habitées que par des astrologues. Tu juges bien qu'une ville bâtie en l'air, qui a six ou sept maisons les unes sur les autres, est extrêmement peuplée, et que, quand tout le monde est descendu dans la rue, il s'y fait un bel embarras.

Tu ne le croirais pas peut-être : depuis un mois que je suis ici, je n'y ai encore vu marcher personne. Il n'y a point de gens au monde qui tirent mieux parti de leur machine[4] que les Français : ils courent ; ils volent. Les voitures lentes d'Asie, le pas réglé de nos chameaux les feraient tomber en syncope. Pour moi, qui ne suis point fait à ce train[5], et qui vais souvent à pied sans changer d'allure, j'enrage quelquefois comme un Chrétien : car encore passe qu'on m'éclabousse depuis les pieds jusqu'à la tête ; mais je ne puis pardonner les coups de coude que je reçois régulièrement et périodiquement. Un homme qui vient après moi, et qui me passe[6], me fait faire un demi-tour, et un autre, qui me croise de l'autre côté, me remet soudain où le pre-

notes

1. *Smyrne* : ville turque (actuellement Izmir).

2. *mouvement* : agitation.

3. *Ispahan* : ville perse (où résidaient Rica et Usbek).

4. *machine* : corps.

5. *ce train* : ce rythme.

6. *me passe* : me dépasse.

25 mier m'avait pris ; et je n'ai pas fait cent pas, que je suis plus brisé que si j'avais fait dix lieues[1].

Ne crois pas que je puisse, quant à présent[2], te parler à fond des mœurs et des coutumes européennes : je n'en ai moi-même qu'une légère idée, et je n'ai eu à peine que le temps 30 de m'étonner.

Le roi de France est le plus puissant prince de l'Europe. Il n'a point de mines d'or comme le roi d'Espagne, son voisin ; mais il a plus de richesses que lui, parce qu'il les tire de la vanité de ses sujets, plus inépuisable que les mines. On 35 lui a vu entreprendre ou soutenir de grandes guerres, n'ayant d'autres fonds que des titres d'honneur à vendre, et, par un prodige de l'orgueil humain, ses troupes se trouvaient payées, ses places, munies[3], et ses flottes, équipées.

D'ailleurs ce roi est un grand magicien : il exerce son 40 empire sur l'esprit même de ses sujets ; il les fait penser comme il veut. S'il n'a qu'un million d'écus[4] dans son trésor, et qu'il en ait besoin de deux, il n'a qu'à leur persuader qu'un écu en vaut deux, et ils le croient. S'il a une guerre difficile à soutenir, et qu'il n'ait point d'argent, il n'a 45 qu'à leur mettre dans la tête qu'un morceau de papier est de l'argent, et ils en sont aussitôt convaincus. Il va même jusqu'à leur faire croire qu'il les guérit de toutes sortes de maux en les touchant, tant est grande la force et la puissance qu'il a sur les esprits.

50 Ce que je te dis de ce prince ne doit pas t'étonner : il y a un autre magicien, plus fort que lui, qui n'est pas moins maître de son esprit qu'il l'est lui-même de celui des

notes

1. ***lieue :*** ancienne unité de mesure, environ 4 kilomètres.

2. ***quant à présent :*** dès à présent.

3. ***munies :*** approvisionnées.

4. ***écu :*** ancienne monnaie.

autres. Ce magicien s'appelle *le Pape*. Tantôt il lui fait croire que trois ne sont qu'un, que le pain qu'on mange n'est pas du pain, ou que le vin qu'on boit n'est pas du vin, et mille autres choses de cette espèce.

Et pour le tenir toujours en haleine et ne point lui laisser perdre l'habitude de croire, il lui donne de temps en temps, pour l'exercer, de certains articles de croyance. Il y a deux ans qu'il lui envoya un grand écrit, qu'il appela *Constitution*[1], et voulut obliger, sous de grandes peines, ce prince et ses sujets de croire tout ce qui y était contenu. Il réussit à l'égard du prince, qui se soumit aussitôt et donna l'exemple à ses sujets. Mais quelques-uns d'entre eux se révoltèrent et dirent qu'ils ne voulaient rien croire de tout ce qui était dans cet écrit. Ce sont les femmes qui ont été les motrices de toute cette révolte, qui divise toute la Cour, tout le royaume et toutes les familles. Cette Constitution leur défend de lire un livre que tous les Chrétiens disent avoir été apporté du Ciel : c'est proprement leur Alcoran[2]. Les femmes, indignées de l'outrage fait à leur sexe, soulèvent tout contre la Constitution : elles ont mis les hommes de leur parti, qui, dans cette occasion, ne veulent point avoir de privilège. On doit pourtant avouer que ce moufti[3] ne raisonne pas mal, et, par le grand Hali[4], il faut qu'il ait été instruit des principes de notre sainte loi. Car, puisque les femmes sont d'une création inférieure à la nôtre, et que

notes

1. Constitution : il s'agit en fait de la bulle papale *Unigenitus* datée de 1713. Dans celle-ci, le pape Clément XI condamnait les jansénistes. Il contredisait 101 propositions avancées par un penseur janséniste, Pasquier Quesnel. La bulle *Unigenitus* déconseillait la lecture de la Bible pour les femmes…

2. leur Alcoran : leur Coran. Il s'agit de la Bible ici.

3. moufti : théoricien du droit coranique dans le vocabulaire islamique. Ici, le mot désigne plutôt un religieux, quelle que soit sa confession.

4. Hali : Ali, gendre de Mahomet.

nos prophètes nous disent qu'elles n'entreront point dans le Paradis, pourquoi faut-il qu'elles se mêlent de lire un
80 livre qui n'est fait que pour apprendre le chemin du Paradis ?

J'ai ouï[1] raconter du roi des choses qui tiennent du prodige, et je ne doute pas que tu ne balances[2] à les croire. On dit que, pendant qu'il faisait la guerre à ses voisins, qui
85 s'étaient tous ligués contre lui, il avait dans son royaume un nombre innombrable d'ennemis invisibles qui l'entouraient. On ajoute qu'il les a cherchés pendant plus de trente ans, et que, malgré les soins infatigables de certains dervis[3] qui ont sa confiance, il n'en a pu trouver un seul. Ils vivent
90 avec lui : ils sont à sa cour, dans sa capitale, dans ses troupes, dans ses tribunaux ; et cependant on dit qu'il aura le chagrin de mourir sans les avoir trouvés. On dirait qu'ils existent en général, et qu'ils ne sont plus rien en particulier : c'est un corps, mais point de membres. Sans doute que le
95 Ciel veut punir ce prince de n'avoir pas été assez modéré envers les ennemis qu'il a vaincus, puisqu'il lui en donne d'invisibles, et dont le génie et le destin sont au-dessus du sien.

Je continuerai à t'écrire, et je t'apprendrai des choses bien
100 éloignées du caractère et du génie persans. C'est bien la même Terre qui nous porte tous deux ; mais les hommes du pays où je vis, et ceux du pays où tu es sont des hommes bien différents.

De Paris, le 4 de la lune de Rebiab 2, 1712.

notes

1. ***ouï*** **:** entendu.
2. ***balances*** **:** hésites.
3. ***dervis*** **:** derviche. Religieux musulman appartenant à une communauté. Le mot désigne, dans le passage, les jésuites soutenus par Louis XIV contre les jansénistes.

L'embarras de Paris, le Pont neuf vu du côté de la rue Dauphine,
gravure de Nicolas Guérard (1648-1719).

Au fil du texte

Questions sur « La découverte de Paris » (lettre 24, pp. 27 à 30)

Avez-vous bien lu ?

1. D'où est envoyée la lettre 24 ? Où est-elle envoyée ?

2. Quel est le premier élément architectural qui étonne Rica lors de son séjour à Paris ? Que peut-on en déduire sur sa ville d'origine ?

3. Le rythme des parisiens étonne Rica : pourquoi ?

4. Les Parisiens semblent-ils très courtois ici ?

5. De quelle année cette lettre est-elle datée ? Qui était le roi de France à ce moment ? En quelle année la lettre fut-elle rédigée par Montesquieu ? (voir « Vivre au temps des *Lettres persanes* », p. 142).

6. D'où vient, selon Rica, la richesse principale du roi de France ?

7. Les Français sont-ils présentés comme des êtres lucides ou crédules ?

8. Qui Rica qualifie-t-il de *« magiciens »* ?

narrateur : **la personne fictive (dans un roman) qui raconte les événements.**

destinataire : **celui à qui on s'adresse.**

Étudier le discours

9. Pourquoi le narrateur* emploie-t-il le pronom *« nous »* au début de sa lettre (l. 1) ? Le pronom *« nous »* dans le dernier paragraphe (l. 102) représente-t-il les mêmes personnes ?

10. Quels sont les pronoms qui signalent la présence du destinataire* dans cette lettre ? À quels moments de la lettre sont-ils plus fréquents ?

11. Quelle est la nature du pronom *« on »* (l. 3, 4) dans le premier paragraphe ? Pourquoi selon vous le narrateur passe-t-il du « nous » au « on » ?

12. Rica rapporte des propos qu'il a entendus : à quel moment ? Quelles sont les formules introductives qui précèdent les rumeurs* évoquées ?

ÉTUDIER UN THÈME : FEMMES ET RELIGION

13. Pourquoi les femmes se sont elles révoltées contre la bulle papale ?

14. Quelle est l'opinion de Rica sur les femmes ? Relevez une expression qui la montre bien.

15. Pensez-vous que Montesquieu soit forcément du même avis que le personnage ?

ÉTUDIER LE VOCABULAIRE ET LA GRAMMAIRE

16. Relevez deux mots appartenant au champ lexical* de la vitesse. À quels termes s'opposent-ils ?

17. Donnez des synonymes* des mots suivants : son *« empire »* (l. 40) ; *« leur persuader »* (l. 43) ; *« motrices »* (l. 67). Attention au contexte !

18. Quelle est la signification du mot « misogynie » ? Comment est-il formé ? Donnez deux autres mots de la même famille*.

19. Quelles sont les subordonnées présentes dans la phrase : *« Il faut bien des affaires* [...] *toutes à la fois »* (l. 2 à 5) ? Expliquez les temps des verbes.

20. Relevez deux expressions qui désignent le roi de France. Quelle est leur fonction grammaticale ?

rumeur : **propos véhiculant des informations incertaines et parfois fausses.**

champ lexical : **ensemble des mots qui, dans un texte, évoquent un même sujet.**

synonyme : **mot de signification très proche ou identique.**

famille de mots : **série de mots formés à partir du même radical.**

21. Relevez une subordonnée conjonctive de cause et une subordonnée conjonctive de conséquence.

ÉTUDIER L'ÉCRITURE

22. Choisissez deux exemples (des lignes 1 à 26) montrant une certaine exagération caricaturale* de la part de Rica. Quel est l'effet produit par ces expressions ?

23. Relevez trois comparaisons* dans les trois premiers paragraphes.

caricaturale : **insistant sur des aspects défavorables.**

comparaison : **rapprochement explicite entre deux réalités.**

satire : **discours qui se moque d'une personne ou d'une réalité particulière.**

ÉTUDIER LE GENRE : LA SATIRE*

24. Qu'est ce qu'une satire ?

25. Combien de paragraphes sont consacrés au roi de France dans cette lettre ? Quelles critiques lui sont adressées ?

26. Quels éléments du culte catholique suscitent l'étonnement de Rica ?

À VOS PLUMES !

27. Imaginez la réponse d'Ibben à la lettre 24.

28. Imaginez la lettre qu'enverrait un Rica contemporain en arrivant à Paris.

LIRE L'IMAGE

Voir document p. 31.

29. À quelle époque le Pont Neuf fut-il construit ?

30. Quels éléments graphiques donnent l'impression d'un véritable « embarras » ?

La satire des mœurs

Plus mondain que son compagnon, Rica est aussi celui qui libère une verve satirique que sa fréquentation de la bonne société parisienne rend efficace.

La satire sociale n'a pas été inventée par Montesquieu. Elle a une longue histoire que la littérature du XVIIe siècle a largement enrichie. Des bourgeois de Molière aux vaniteux décrits par La Rochefoucauld, des embarras parisiens dépeints par Boileau aux travers de la vie courtisane détaillés par La Bruyère ou La Fontaine, la satire des mœurs a de prestigieux ancêtres. Elle est à la mode en ce début de XVIIIe siècle. Le roman de Montesquieu ajoutera sa galerie de ridicules : sous l'œil de Rica, le faux modeste, le courtisan, la coquette, le mondain, l'alchimiste, le journaliste, le casuiste, le géomètre mais aussi l'intellectuel pédant, le financier douteux, l'officier prétentieux, le juriste incompétent défilent et constituent quelques-unes des rencontres pittoresques du Persan. Autant de figures exotiques et saugrenues qui seront décrites avec humour par un Rica ironique et railleur !

Lettre 28
Rica à ***[1]

Je vis hier une chose assez singulière, quoiqu'elle se passe tous les jours à Paris.

Tout le peuple s'assemble sur la fin de l'après-dînée[2] et va jouer une espèce de scène que j'ai entendu appeler *comédie*. 5 Le grand mouvement est sur une estrade, qu'on nomme *le théâtre*. Aux deux côtés, on voit, dans de petits réduits[3] qu'on nomme *loges*, des hommes et des femmes qui jouent ensemble des scènes muettes, à peu près comme celles qui sont en usage en notre Perse.

10 Ici, c'est une amante[4] affligée qui exprime sa langueur ; une autre, plus animée, dévore des yeux son amant, qui la regarde de même : toutes les passions sont peintes sur les visages et exprimées avec une éloquence qui, pour être muette, n'en est que plus vive. Là, les actrices ne paraissent 15 qu'à demi-corps et ont ordinairement un manchon[5], par modestie, pour cacher leurs bras. Il y a en bas une troupe de gens debout[6], qui se moquent de ceux qui sont en haut sur le théâtre, et ces derniers rient à leur tour de ceux qui sont en bas.

20 Mais ceux qui prennent le plus de peine sont quelques gens qu'on prend pour cet effet dans un âge peu avancé, pour soutenir la fatigue. Ils sont obligés d'être partout : ils passent par des endroits qu'eux seuls connaissent, montent avec une adresse surprenante d'étage en étage ; ils sont en 25 haut, en bas, dans toutes les loges ; ils plongent, pour ainsi

notes

1. *** : destinataire anonyme.

2. après-dînée : après le repas du midi.

3. réduits : recoins, alcôves.

4. amante : au sens classique d'amoureuse.

5. manchon : fourreau pour protéger les mains.

6. gens debout : au parterre, les spectateurs étaient debout (pratiquement jusqu'à la fin du XVIIIe siècle).

dire ; on les perd, ils reparaissent ; souvent ils quittent le lieu de la scène et vont jouer dans un autre. On en voit même qui, par un prodige qu'on n'aurait osé espérer de leurs béquilles, marchent et vont comme les autres. Enfin on 30 se rend à des salles où l'on joue une comédie particulière : on commence par des révérences ; on continue par des embrassades. On dit que la connaissance la plus légère met un homme en droit d'en étouffer un autre. Il semble que le lieu inspire de la tendresse. En effet, on dit que les prin- 35 cesses qui y règnent ne sont point cruelles, et, si on excepte deux ou trois heures du jour, où elles sont assez sauvages, on peut dire que le reste du temps elles sont traitables[1], et que c'est une ivresse qui les quitte aisément.

Tout ce que je te dis ici se passe à peu près de même dans 40 un autre endroit, qu'on nomme *l'Opéra* : toute la différence est qu'on parle à l'un, et que l'on chante à l'autre. Un de mes amis me mena l'autre jour dans la loge où se déshabillait une des principales actrices. Nous fîmes si bien connaissance, que le lendemain je reçus d'elle cette lettre :

45 *MONSIEUR,*

Je suis la plus malheureuse fille du monde ; j'ai toujours été la plus vertueuse actrice de l'Opéra. Il y a sept ou huit mois que j'étais dans la loge où vous me vîtes hier. Comme je m'habillais en prêtresse de Diane[2], un jeune abbé vint m'y trouver, et, sans 50 respect pour mon habit blanc, mon voile et mon bandeau, il me ravit mon innocence. J'ai beau lui exagérer le sacrifice que je lui ai fait ; il se met à rire et me soutient qu'il m'a trouvée très profane[3]. Cependant je suis si grosse que je n'ose plus me présenter sur le

notes

1. traitables : agréables.

2. Diane : déesse de la chasse et de la lumière.

3. profane : ignorante.

théâtre : car je suis, sur le chapitre de l'honneur, d'une délicatesse
55 *inconcevable, et je soutiens toujours qu'à une fille bien née il est plus facile de faire perdre la vertu que la modestie. Avec cette délicatesse, vous jugez bien que ce jeune abbé n'eût jamais réussi, s'il ne m'avait promis de se marier avec moi : un motif si légitime me fit passer sur les petites formalités ordinaires et commencer par où*
60 *j'aurais dû finir. Mais, puisque son infidélité m'a déshonorée, je ne veux plus vivre à l'Opéra, où, entre vous et moi, l'on ne me donne guère de quoi vivre : car, à présent que j'avance en âge, et que je perds du côté des charmes, ma pension, qui est toujours la même, semble diminuer tous les jours. J'ai appris, par un homme de votre*
65 *suite, que l'on faisait un cas infini, dans votre pays, d'une danseuse, et que, si j'étais à Ispahan, ma fortune serait aussitôt faite. Si vous vouliez m'accorder votre protection et m'emmener avec vous dans ce pays-là, vous auriez l'avantage de faire du bien à une fille qui, par sa vertu et sa conduite, ne se rendrait pas indigne de*
70 *vos bontés. Je suis…*

De Paris, le 2 de la lune de Chalval, 1712.

Lettre 30
Rica à Ibben, à Smyrne

Les habitants de Paris sont d'une curiosité qui va jusqu'à l'extravagance. Lorsque j'arrivai, je fus regardé comme si j'avais été envoyé du Ciel : vieillards, hommes, femmes, enfants, tous voulaient me voir. Si je sortais, tout le monde
5 se mettait aux fenêtres ; si j'étais aux Tuileries[1], je voyais

note

1. *Tuileries* : jardin public à Paris.

aussitôt un cercle se former autour de moi : les femmes mêmes faisaient un arc-en-ciel, nuancé de mille couleurs, qui m'entourait ; si j'étais aux spectacles, je trouvais d'abord cent lorgnettes[1] dressées contre[2] ma figure : enfin jamais
10 homme n'a tant été vu que moi. Je souriais quelquefois d'entendre des gens qui n'étaient presque jamais sortis de leur chambre, qui disaient entre eux : « Il faut avouer qu'il a l'air bien persan. » Chose admirable ! je trouvais de mes portraits partout ; je me voyais multiplié dans toutes les
15 boutiques, sur toutes les cheminées : tant on craignait de ne m'avoir pas assez vu.

Tant d'honneurs ne laissent pas[3] d'être à charge[4] : je ne me croyais pas un homme si curieux et si rare ; et, quoique j'aie très bonne opinion de moi, je ne me serais jamais imaginé
20 que je dusse troubler le repos d'une grande ville où je n'étais point connu. Cela me fit résoudre à quitter l'habit persan et à en endosser un à l'européenne, pour voir s'il resterait encore dans ma physionomie quelque chose d'admirable. Cet essai me fit connaître ce que je valais réelle-
25 ment : libre de tous les ornements étrangers, je me vis apprécié au plus juste. J'eus sujet de me plaindre de mon tailleur, qui m'avait fait perdre en un instant l'attention et l'estime publique : car j'entrai tout à coup dans un néant affreux. Je demeurais quelquefois une heure dans une
30 compagnie sans qu'on m'eût regardé, et qu'on m'eût mis en occasion d'ouvrir la bouche. Mais, si quelqu'un, par hasard, apprenait à la compagnie que j'étais Persan,

notes

1. lorgnettes : lunette pour le spectacle.

2. dressées contre : pointées, braquées vers.

3. ne laissent pas : ne manquent pas.

4. être à charge : être pénible.

j'entendais aussitôt autour de moi un bourdonnement : « Ah ! ah ! Monsieur est Persan ? c'est une chose bien
35 extraordinaire ! Comment peut-on être Persan ? »

De Paris, le 6 de la lune de Chalval, 1712.

Lettre 45

Rica à Usbek, à ***[1]

Hier matin, comme j'étais au lit, j'entendis frapper rudement à ma porte, qui fut soudain ouverte ou enfoncée par un homme avec qui j'avais lié quelque société, et qui me parut tout hors de lui-même.
5 Son habillement était beaucoup plus que modeste ; sa perruque de travers n'avait pas même été peignée ; il n'avait pas eu le temps de faire recoudre son pourpoint[2] noir, et il avait renoncé, pour ce jour-là, aux sages précautions avec lesquelles il avait coutume de déguiser le délabrement de
10 son équipage.

« Levez-vous, me dit-il ; j'ai besoin de vous tout aujourd'hui : j'ai mille emplettes[3] à faire, et je serai bien aise que ce soit avec vous. Il faut premièrement que nous allions à la rue Saint-Honoré parler à un notaire qui est chargé de
15 vendre une terre de cinq cent mille livres[4] ; je veux qu'il m'en donne la préférence. En venant ici, je me suis arrêté un moment au faubourg Saint-Germain, où j'ai loué un hôtel de deux mille écus[5], et j'espère passer le contrat aujourd'hui. »

notes

1. * :** le lieu où séjourne Usbek n'est pas précisé. La dernière phrase de cette lettre, nous apprend qu'il est actuellement hors de Paris.

2. *pourpoint* : partie du vêtement masculin qui couvre le torse.

3. *emplettes* : achats.

4. *livre* : ancienne monnaie.

5. *écu* : ancienne monnaie (en or ou en argent).

20 Dès que je fus habillé, ou peu s'en fallait, mon homme me fit précipitamment descendre. « Commençons, dit-il, par acheter un carrosse, et établissons[1] l'équipage[2]. » En effet, nous achetâmes non seulement un carrosse, mais encore pour cent mille francs de marchandises en moins d'une 25 heure. Tout cela se fit promptement, parce que mon homme ne marchanda rien et ne compta jamais ; aussi ne déplaça-t-il pas[3]. Je rêvais sur tout ceci, et, quand j'examinais cet homme, je trouvais en lui une complication[4] singulière de richesses et de pauvreté ; de manière que je 30 ne savais que croire. Mais enfin, je rompis le silence, et, le tirant à part, je lui dis : « Monsieur, qui est-ce qui payera tout cela ? – Moi, dit-il. Venez dans ma chambre : je vous montrerai des trésors immenses et des richesses enviées des plus grands monarques ; mais elles ne le seront pas de vous, 35 qui les partagerez toujours avec moi. » Je le suis. Nous grimpons à son cinquième étage, et, par une échelle, nous nous guindons[5] à un sixième, qui était un cabinet[6] ouvert aux quatre vents, dans lequel il n'y avait que deux ou trois douzaines de bassins de terre remplis de diverses liqueurs. 40 « Je me suis levé de grand matin, me dit-il, et j'ai fait d'abord ce que je fais depuis vingt-cinq ans, qui est d'aller visiter mon œuvre. J'ai vu que le grand jour était venu, qui devait me rendre plus riche qu'homme qui soit sur la Terre. Voyez-vous cette liqueur vermeille ? Elle a à présent toutes

notes

1. établissons : engageons.

2. équipage : ensemble des voitures, des chevaux et du personnel (cochers, palefreniers…) qui en a la charge.

3. ne déplaça-t-il pas : ne changea pas son prix.

4. complication : association, combinaison.

5. guindons : hissons.

6. cabinet : pièce où l'on se retire pour travailler.

45 les qualités que les philosophes demandent pour faire la transmutation des métaux[1]. J'en ai tiré ces grains que vous voyez, qui sont de vrai or par leur couleur, quoiqu'un peu imparfaits par leur pesanteur. Ce secret, que Nicolas Flamel[2] trouva, mais que Raymond Lulle[3] et un million
50 d'autres cherchèrent toujours, est venu jusques à moi, et je me trouve aujourd'hui un heureux adepte. Fasse le Ciel que je ne me serve de tant de trésors qu'il m'a communiqués, que pour sa gloire ! »

Je sortis, et je descendis, ou plutôt je me précipitai par cet
55 escalier transporté de colère, et laissai cet homme si riche dans son hôpital.

Adieu, mon cher Usbek. J'irai te voir demain, et, si tu veux, nous reviendrons ensemble à Paris.

De Paris, le dernier de la lune de Rhegeb, 1713.

Lettre 50
Rica à ***[4]

J'ai vu des gens chez qui la vertu était si naturelle qu'elle ne se faisait pas même sentir : ils s'attachaient à leur devoir sans s'y plier et s'y portaient comme par instinct. Bien loin de relever par leurs discours leurs rares qualités, il semblait
5 qu'elles n'avaient pas percé jusques à eux. Voilà les gens que

notes

1. *transmutation des métaux* : la transformation des métaux en or pur est un des objectifs poursuivis par les alchimistes.

2. *Nicolas Flamel* : (vers 1330-1418) alchimiste français qui selon la légende aurait fait fortune grâce à ses découvertes.

3. *Raymond Lulle* : (vers 1238-1316) philosophe catalan qui fut aussi théologien, poète, savant et mystique.

4. * :** destinataire anonyme.

j'aime ; non pas ces hommes vertueux qui semblent être étonnés de l'être et qui regardent une bonne action comme un prodige, dont le récit doit surprendre.

Si la modestie est une vertu nécessaire à ceux à qui le Ciel
10 a donné de grands talents, que peut-on dire de ces insectes qui osent faire paraître un orgueil qui déshonorerait les plus grands hommes ?

Je vois de tous côtés des gens qui parlent sans cesse d'eux-mêmes : leurs conversations sont un miroir qui présente
15 toujours leur impertinente figure. Ils vous parleront des moindres choses qui leur sont arrivées, et ils veulent que l'intérêt qu'ils y prennent les grossisse à vos yeux ; ils ont tout fait, tout vu, tout dit, tout pensé ; ils sont un modèle universel, un sujet de comparaison inépuisable, une source
20 d'exemples qui ne tarit jamais. Oh ! que la louange est fade lorsqu'elle réfléchit vers le lieu d'où elle part !

Il y a quelques jours qu'un homme de ce caractère nous accabla pendant deux heures de lui, de son mérite et de ses talents. Mais, comme il n'y a point de mouvement
25 perpétuel dans le Monde, il cessa de parler ; la conversation nous revint donc, et nous la prîmes.

Un homme qui paraissait assez chagrin commença par se plaindre de l'ennui répandu dans les conversations. « Quoi ! toujours des sots qui se peignent eux-mêmes, et
30 qui ramènent tout à eux ? – Vous avez raison, reprit brusquement notre discoureur. Il n'y a qu'à faire comme moi : je ne me loue jamais ; j'ai du bien, de la naissance ; je fais de la dépense ; mes amis disent que j'ai quelque esprit ; mais je ne parle jamais de tout cela. Si j'ai quelques bonnes
35 qualités, celle dont je fais le plus de cas, c'est ma modestie. »

J'admirais cet impertinent, et, pendant qu'il parlait tout haut, je disais tout bas : « Heureux celui qui a assez de vanité pour ne dire jamais de bien de lui, qui craint ceux

qui l'écoutent, et ne compromet point son mérite avec
40 l'orgueil des autres. »

De Paris, le 20 de la lune de Rhamazan, 1713.

Lettre 99
Rica à Rhédi, à Venise

Je trouve les caprices de la mode, chez les Français, étonnants. Ils ont oublié comment ils étaient habillés cet été ; ils ignorent encore plus comment ils le seront cet hiver. Mais, surtout, on ne saurait croire combien il en coûte à un
5 mari pour mettre sa femme à la mode.

Que me servirait de te faire une description exacte de leur habillement et de leurs parures ? Une mode nouvelle viendrait détruire tout mon ouvrage, comme celui de leurs ouvriers, et, avant que tu eusses reçu ma lettre, tout serait
10 changé.

Une femme qui quitte Paris pour aller passer six mois à la campagne en revient aussi antique que si elle s'y était oubliée trente ans. Le fils méconnaît le portrait de sa mère, tant l'habit avec lequel elle est peinte lui paraît étranger ;
15 il s'imagine que c'est quelque Américaine qui y est représentée, ou que le peintre a voulu exprimer quelqu'une de ses fantaisies.

Quelquefois, les coiffures montent insensiblement, et une révolution les fait descendre tout à coup. Il a été un temps
20 que leur hauteur immense mettait le visage d'une femme au milieu d'elle-même. Dans un autre, c'étaient les pieds qui occupaient cette place : les talons faisaient un piédestal

qui les tenait en l'air. Qui pourrait le croire ? Les architectes ont été souvent obligés de hausser, de baisser et
25 d'élargir leurs portes, selon que les parures des femmes exigeaient d'eux ce changement, et les règles de leur art ont été asservies[1] à ces caprices. On voit quelquefois sur un visage une quantité prodigieuse de mouches[2], et elles disparaissent toutes le lendemain. Autrefois, les femmes
30 avaient de la taille et des dents ; aujourd'hui, il n'en est pas question. Dans cette changeante nation, quoi qu'en disent les mauvais plaisants, les filles se trouvent autrement faites que leurs mères.

Il en est des manières et de la façon de vivre comme des
35 modes : les Français changent de mœurs selon l'âge de leur roi. Le monarque pourrait même parvenir à rendre la nation grave, s'il l'avait entrepris. Le Prince imprime le caractère de son esprit à la Cour ; la Cour, à la Ville ; la Ville, aux provinces. L'âme du souverain est un moule qui
40 donne la forme à toutes les autres.

De Paris, le 8 de la lune de Saphar, 1717.

notes

1. asservies : soumises.

2. mouche : petite rondelle noire (imitant les grains de beauté) que les femmes élégantes se collaient sur le visage.

***Coiffure à l'échelle*, caricature du XVIIIe siècle.**

Au fil du texte

Questions sur « La satire des mœurs » (lettres 28, 30, 45, 50 et 99, pp. 36 à 45)

Avez-vous bien lu ?

1. Quel est le narrateur* de toutes les lettres envoyées dans cette partie ?

2. De qui reçoit-il une lettre dans ces pages ?

3. Rica décrit-il la pièce de théâtre à laquelle il assiste quand il se rend à *« la comédie »* ?

4. Pour quelle raison Rica suscite-t-il la curiosité des parisiens ?

5. Quel événement met fin à cette curiosité ?

6. Dans quelle lettre le narrateur* parle-t-il de la modestie ?

7. Pour quelle raison le visiteur de la lettre 45 croit-il être riche ?

8. Qu'est ce qu'un alchimiste ?

9. Pourquoi Rica décide-t-il de quitter l'alchimiste ?

10. Selon Rica, la mode a entraîné des modifications architecturales : pourquoi ?

11. Quelle lettre est adressée à Usbek ?

narrateur : **la personne fictive (dans un roman) qui raconte les événements.**

Étudier le discours

12. Que demande explicitement l'actrice qui écrit à Rica (lettre 28) ?

13. Pour quelles raisons, selon vous, souhaite-t-elle quitter l'Opéra ?

14. Qu'est ce qu'une antithèse ? De combien de paragraphes se compose la lettre 30 ? Montrez que la lettre est bâtie sur une antithèse que vous résumerez d'une phrase.

15. Transformez le troisième paragraphe de la lettre 45 (l. 11 à 19, au discours direct*) en discours indirect*.

16. Combien de paragraphes sont consacrés, dans la lettre 50, à des considérations générales ? Combien de paragraphes détaillent une expérience particulière ? Relevez un indice grammatical qui marque la transition entre ces deux parties.

discours direct : discours citant des propos sans terme introducteur.

discours indirect : discours introduisant les propos cités avec un verbe introducteur et une complétive.

occurrence : apparition d'un mot dans un texte.

synonyme : mot de signification très proche ou identique.

antonyme : mot de signification opposée.

étymologie : l'origine du mot.

ÉTUDIER UN THÈME : LA MODE

17. Que reproche Rica à la mode ?

18. Peut-on rapprocher cette critique d'autres développements présents dans ces lettres ?

19. Donnez trois arguments qui pourraient justifier la mode.

ÉTUDIER LE VOCABULAIRE ET LA GRAMMAIRE

20. Relevez les apparitions du mot *« comédie »* dans la lettre 28. Le mot a-t-il la même signification dans les différentes occurrences* ?

21. Comment est composé le mot *« extravagance »* (lettre 30, l. 2) ? Donnez-en un synonyme* et un antonyme*.

22. Recherchez l'étymologie* du mot *« guinder »* (lettre 45, l. 37). Le mot est-il encore employé aujourd'hui avec le sens que lui donne Montesquieu dans sa lettre ?

23. Cherchez l'étymologie du mot *« hôpital »* (lettre 45, l. 56). Donnez un autre mot français dérivé du même étymon*.

24. Relevez une métaphore* dans la lettre 50.

25. Quelle est l'origine du mot « alchimie » ? Donnez cinq autres mots empruntés par le français à l'arabe et commençant par la voyelle *a*.

26. Qu'appelle-t-on le présent de vérité générale ? Relevez un exemple dans la lettre 30 et un autre dans la lettre 99.

ÉTUDIER L'ÉCRITURE

27. Le narrateur* fait preuve parfois d'autodérision* : donnez deux exemples empruntés à la lettre 30.

28. Donnez un exemple de prétérition* dans la lettre 50.

29. Observez l'utilisation des temps dans la lettre 45 : le récit est-il toujours écrit au passé ? Quel est l'autre temps utilisé pour raconter ?

30. Quels sont les temps utilisés dans la lettre 50 ? Peut-on distinguer deux systèmes et deux parties dans cette lettre ?

31. La satire* suppose parfois l'exagération caricaturale* : donnez en quelques exemples empruntés à la lettre 99.

ÉTUDIER L'ORTHOGRAPHE

32. Réécrivez ce passage de la lettre 28, de : *« Ils sont obligés d'être partout* [...] *»* à *«* [...] *marchent et vont comme les autres. »* (l. 22 à 29), en mettant les verbes au futur simple ou au futur antérieur.

étymon : **mot d'origine dont est issu le mot français.**

métaphore : **rapprochement implicite entre deux réalités.**

narrateur : **la personne fictive (dans un roman) qui raconte les événements.**

autodérision : **le fait de se moquer de soi-même.**

prétérition : **figure par laquelle on attire l'attention sur une chose en déclarant n'en pas parler.**

satire : **discours qui se moque d'une personne ou d'une réalité particulière.**

caricaturale : **insistant sur des aspects défavorables.**

33. Réécrivez ce passage de la lettre 30, de « *Cet essai me fit connaître* [...] » à « [...] *sans qu'on m'eût regardé* » (l. 24 à 30), en remplaçant le pronom « *je* » par le pronom « *nous* ».

ÉTUDIER LE GENRE : LA SATIRE* DES MŒURS

34. Quelles semblent être les occupations principales des spectateurs au théâtre ?

35. Faites la liste des personnages dont Rica souligne le ridicule dans ces différentes lettres.

36. Quels sont les éléments qui montrent l'agitation de l'alchimiste ? Quels sont ceux qui soulignent sa pauvreté ? Les propos du personnage et ses activités confirment-ils ces traits descriptifs ?

satire **: discours qui se moque d'une personne ou d'une réalité particulière.**

dialogue **: entretien entre deux personnes.**

À VOS PLUMES !

37. Faites le portrait de l'alchimiste.

38. Imaginez un dialogue* entre une styliste et un personnage plutôt hostile à la mode.

39. Imaginez la réponse qu'écrit Rica à la lettre de l'actrice.

40. Imaginez, à la manière de la lettre 45, la visite inattendue d'un ami qui vient de gagner au Loto !

LIRE L'IMAGE

Voir document p. 46.

41. Quels commentaires de Rica pourraient illustrer cette caricature ?

42. Quels sont les personnages présents sur la gravure ? Quels sont les détails amusants dans cette illustration ?

L'actualité et la satire politique

Dès 1733, l'écrivain et polémiste Voltaire demandait : « *Y a-t-il un livre où l'on ait traité le gouvernement et la religion avec moins de ménagement ?* » Livre de satire politique, les *Lettres persanes* est sciemment ancré dans une actualité qui deviendra pour nous l'histoire de ce début de siècle. Les lettres, datées de 1711 à 1720, évoquent la fin du règne de Louis XIV (il meurt en 1715), critiquent la dérive absolutiste de la monarchie. Elles racontent aussi brièvement l'arrivée du duc d'Orléans au pouvoir, la Régence et la faillite du système économique mis en place par le financier écossais John Law. Actualité riche d'une France en pleine mutation que les épistoliers observent avec un esprit satirique souvent sévère pour les puissants et les courtisans. S'amorce ici une réflexion philosophique d'envergure sur le système le plus juste et l'organisation politique des pouvoirs que Montesquieu poursuivra jusqu'au magistral *Esprit des Lois*. Cet ouvrage, publié en 1748, sera l'aboutissement d'une pensée politique que l'on voit germer brillamment avec les *Lettres persanes.*

Lettre 37
Usbek à Ibben, à Smyrne

Le roi de France est vieux. Nous n'avons point d'exemple dans nos histoires d'un monarque qui ait si longtemps régné. On dit qu'il possède à un très haut degré le talent de se faire obéir : il gouverne avec le même génie sa
5 famille, sa cour, son État. On lui a souvent entendu dire que, de tous les gouvernements du Monde, celui des Turcs ou celui de notre auguste sultan lui plairait le mieux, tant il fait cas de la politique orientale.

J'ai étudié son caractère, et j'y ai trouvé des contradictions
10 qu'il m'est impossible de résoudre. Par exemple : il a un ministre qui n'a que dix-huit ans, et une maîtresse qui en a quatre-vingts ; il aime sa religion, et il ne peut souffrir ceux qui disent qu'il la faut observer à la rigueur ; quoiqu'il fuie le tumulte des villes, et qu'il se commu-
15 nique[1] peu, il n'est occupé, depuis le matin jusques au soir, qu'à faire parler de lui ; il aime les trophées et les victoires, mais il craint autant de voir un bon général à la tête de ses troupes, qu'il aurait sujet de le craindre à la tête d'une armée ennemie. Il n'est, je crois, jamais arrivé qu'à lui
20 d'être, en même temps, comblé de plus de richesse qu'un prince n'en saurait espérer, et accablé d'une pauvreté qu'un particulier ne pourrait soutenir.

Il aime à gratifier[2] ceux qui le servent ; mais il paie aussi libéralement[3] les assiduités ou plutôt l'oisiveté de ses
25 courtisans, que les campagnes laborieuses de ses capitaines.

notes

1. se communique : se confie.
2. gratifier : récompenser.
3. libéralement : généreusement.

Souvent il préfère un homme qui le déshabille, ou qui lui donne la serviette lorsqu'il se met à table, à un autre qui lui prend des villes ou lui gagne des batailles. Il ne croit pas que la grandeur souveraine doive être dans la distribution
30 des grâces, et, sans examiner si celui qu'il comble de biens est homme de mérite, il croit que son choix va le rendre tel : aussi lui a-t-on vu donner une petite pension à un homme qui avait fui deux lieues, et un beau gouvernement[1] à un autre qui en avait fui quatre.
35 Il est magnifique, surtout dans ses bâtiments : il y a plus de statues dans les jardins de son palais que de citoyens dans une grande ville. Sa garde est aussi forte que celle du prince devant qui les trônes se renversent. Ses armées sont aussi nombreuses ; ses ressources, aussi grandes ; et ses finances,
40 aussi inépuisables.

De Paris, le 7 de la lune de Maharram, 1713.

Lettre 92
Usbek à Rhédi, à Venise

Le monarque qui a si longtemps régné n'est plus[2]. Il a bien fait parler des gens pendant sa vie ; tout le monde s'est tu à sa mort. Ferme et courageux dans ce dernier moment, il a paru ne céder qu'au destin. Ainsi mourut le grand Chah
5 Abbas[3], après avoir rempli toute la Terre de son nom.

notes

1. *gouvernement* : poste de gouverneur.

2. *le monarque…* : il s'agit de Louis XIV, mort le 1er septembre 1715 à l'âge de 72 ans.

3. *Abbas* : roi de Perse qui régna de 1587 à 1629.

Ne crois pas que ce grand événement n'ait fait faire ici que des réflexions morales. Chacun a pensé à ses affaires et à prendre ses avantages dans ce changement. Le roi[1], arrière-petit-fils du monarque défunt, n'ayant que cinq ans, un
10 prince, son oncle, a été déclaré régent du royaume.

Le feu roi[2] avait fait un testament qui bornait[3] l'autorité du régent. Ce prince habile a été au Parlement, et, y exposant tous les droits de sa naissance, il a fait casser la disposition du monarque[4], qui, voulant se survivre à lui-même, sem-
15 blait avoir prétendu régner encore après sa mort.

Les parlements ressemblent à ces ruines que l'on foule aux pieds, mais qui rappellent toujours l'idée de quelque temple fameux par l'ancienne religion des peuples. Ils ne se mêlent guère plus que de rendre la justice, et leur
20 autorité est toujours languissante, à moins que quelque conjoncture imprévue ne vienne lui rendre la force et la vie. Ces grands corps ont suivi le destin des choses humaines : ils ont cédé au temps, qui détruit tout, à la corruption des mœurs, qui a tout affaibli, à l'autorité
25 suprême, qui a tout abattu.

Mais le régent, qui a voulu se rendre agréable au peuple, a paru d'abord respecter cette image de la liberté publique ; et, comme s'il avait pensé à relever de terre le temple et l'idole, il a voulu qu'on les regardât comme l'appui de la
30 Monarchie et le fondement de toute autorité légitime.

De Paris, le 4 de la lune de Rhegeb, 1715.

notes

1. le roi : Louis XV.

2. feu roi : roi défunt.

3. bornait : limitait.

4. a fait casser la disposition du monarque : le duc d'Orléans, nommé Régent à la mort de Louis XIV, fit casser dès 1715 le testament du roi défunt.

Lettre 107
Rica à Ibben, à Smyrne

J'ai vu le jeune Monarque[1]. Sa vie est bien précieuse à ses sujets. Elle ne l'est pas moins à toute l'Europe par les grands troubles que sa mort pourrait produire. Mais les Rois sont comme les Dieux, et, pendant qu'ils vivent, on doit les croire immortels. Sa physionomie est majestueuse, mais charmante ; une belle éducation semble concourir avec un heureux naturel et promet déjà un grand prince.

On dit que l'on ne peut jamais connaître le caractère des rois d'Occident jusques à ce qu'ils aient passé par les deux grandes épreuves de leur maîtresse et de leur confesseur[2]. On verra bientôt l'un et l'autre travailler à se saisir de l'esprit de celui-ci, et il se livrera pour cela de grands combats : car, sous un jeune prince, ces deux puissances sont toujours rivales ; mais elles se concilient et réunissent sous un vieux. Sous un jeune prince, le dervis[3] a un rôle bien difficile à soutenir : la force du roi fait sa faiblesse ; mais l'autre triomphe également de sa faiblesse et de sa force.

Lorsque j'arrivai en France, je trouvai le feu Roi absolument gouverné par les femmes, et, cependant, dans l'âge où il était, je crois que c'était le monarque de la Terre qui en avait le moins besoin. J'entendis un jour une femme qui disait : « Il faut que l'on fasse quelque chose pour ce jeune colonel : sa valeur m'est connue ; j'en parlerai au ministre. »

notes

1. le jeune Monarque : Louis XV.

2. confesseur : prêtre à qui l'on se confesse.

3. dervis : derviche. Religieux musulman appartenant à une communauté. Le mot désigne ici un religieux, quelle que soit sa confession.

25 Une autre disait : « Il est surprenant que ce jeune abbé ait été oublié ; il faut qu'il soit évêque : il est homme de naissance, et je pourrais répondre de ses mœurs. » Il ne faut pas pourtant que tu t'imagines que celles qui tenaient ces discours fussent des favorites[1] du Prince ; elles ne lui avaient 30 peut-être pas parlé deux fois en leur vie : chose pourtant très facile à faire chez les princes européens. Mais c'est qu'il n'y a personne qui ait quelque emploi à la Cour, dans Paris ou dans les provinces, qui n'ait une femme par les mains de laquelle passent toutes les grâces et quelquefois les injus- 35 tices qu'il peut faire. Ces femmes ont toutes des relations les unes avec les autres et forment une espèce de république dont les membres toujours actifs se secourent et se servent mutuellement : c'est comme un nouvel État dans l'État ; et celui qui est à la Cour, à Paris, dans les provinces, 40 qui voit agir des ministres, des magistrats, des prélats[2], s'il ne connaît les femmes qui les gouvernent, est comme un homme qui voit bien une machine qui joue, mais qui n'en connaît point les ressorts.

Crois-tu, Ibben, qu'une femme s'avise d'être la maîtresse 45 d'un ministre pour coucher avec lui ? Quelle idée ! C'est pour lui présenter cinq ou six placets[3] tous les matins, et la bonté de leur naturel paraît dans l'empressement qu'elles ont de faire du bien à une infinité de gens malheureux qui leur procurent cent mille livres de rente.

notes

1. favorites : maîtresses.

2. prélat : haut responsable religieux (cardinal, archevêque…).

3. placet : demande écrite.

50 On se plaint, en Perse, de ce que le royaume est gouverné par deux ou trois femmes. C'est bien pis en France, où les femmes en général gouvernent, et non seulement prennent en gros, mais même se partagent en détail toute l'autorité.

De Paris, le dernier de la lune de Chalval, 1717.

Lettre 138
Rica à Ibben, à Smyrne

Les ministres se succèdent et se détruisent ici comme les saisons : depuis trois ans, j'ai vu changer quatre fois de système sur les finances. On lève aujourd'hui les tributs[1], en Turquie et en Perse, comme les levaient les fondateurs 5 de ces empires ; il s'en faut bien qu'il en soit ici de même. Il est vrai que nous n'y mettons pas tant d'esprit que les Occidentaux : nous croyons qu'il n'y a pas plus de différence entre l'administration des revenus du prince et celle des biens d'un particulier, qu'il y en a entre compter cent 10 mille tomans[2] ou en compter cent. Mais il y a ici bien plus de finesse et de mystère. Il faut que de grands génies travaillent nuit et jour, qu'ils enfantent sans cesse et avec douleur de nouveaux projets ; qu'ils écoutent les avis d'une infinité de gens qui travaillent pour eux sans en être priés, 15 qu'ils se retirent et vivent dans le fond d'un cabinet impénétrable aux grands et sacré aux petits, qu'ils aient toujours la tête remplie de secrets importants, de desseins[3]

notes

1. tributs : impôts. ***2. toman :*** monnaie de Perse. ***3. desseins :*** projets.

miraculeux, de systèmes nouveaux, et qu'absorbés dans les méditations, ils soient privés de l'usage de la parole et
20 quelquefois même de celui de la politesse.

Dès que le feu Roi eut fermé les yeux, on pensa à établir une nouvelle administration. On sentait qu'on était mal, mais on ne savait comment faire pour être mieux. On ne s'était pas bien trouvé de l'autorité sans bornes des
25 ministres précédents ; on la voulut partager. On créa pour cet effet six ou sept conseils[1], et ce ministère est peut-être celui de tous qui a gouverné la France avec plus de sens. La durée en fut courte, aussi bien que celle du bien qu'il produisit.

30 La France, à la mort du feu Roi, était un corps accablé de mille maux. N...[2] prit le fer à la main, retrancha les chairs inutiles, et appliqua quelques remèdes topiques[3]. Mais il restait toujours un vice intérieur à guérir. Un étranger[4] est venu, qui a entrepris cette cure. Après bien des remèdes
35 violents, il a cru lui avoir rendu son embonpoint, et il l'a seulement rendue bouffie.

Tous ceux qui étaient riches il y a six mois sont à présent dans la pauvreté, et ceux qui n'avaient pas de pain regorgent de richesses. Jamais ces deux extrémités ne se sont
40 touchées de si près. L'Étranger a tourné l'État comme un fripier tourne un habit : il fait paraître dessus ce qui était dessous ; et, ce qui était dessus, il le met à l'envers. Quelles fortunes inespérées, incroyables même à ceux qui les ont

notes

1. six ou sept conseils : le Régent instaura un système de sept conseils en 1715 pour le seconder dans son gouvernement. Ce système fut appelé la *polysynodie*. Cette organisation fut supprimée (en grande partie) en 1718.

2. N... : le maréchal de Noailles qui présidait le Conseil des Finances.

3. remèdes topiques : médicaments qui agissent à l'endroit où ils sont appliqués.

4. un étranger : le financier écossais John Law.

faites ! Dieu ne tire pas plus rapidement les hommes du
45 néant. Que de valets servis par leurs camarades et peut-être demain par leurs maîtres !

Tout ceci produit souvent des choses bizarres. Les laquais[1] qui avaient fait fortune sous le règne passé vantent aujourd'hui leur naissance ; ils rendent à ceux qui viennent de
50 quitter leur livrée[2] dans une certaine rue[3] tout le mépris qu'on avait pour eux il y a six mois ; ils crient de toute leur force : « La noblesse est ruinée ! Quel désordre dans l'État ! Quelle confusion dans les rangs ! On ne voit que des inconnus faire fortune ! » Je te promets que ceux-ci pren-
55 dront bien leur revanche sur ceux qui viendront après eux, et que, dans trente ans, ces gens de qualité feront bien du bruit.

De Paris, le premier de la lune de Zilcadé, 1720.

notes

1. laquais : serviteurs.

2. livrée : vêtement que portait un domestique masculin.

3. certaine rue : la rue Quincampoix où se déroulaient bon nombre de transactions au moment où John Law mit en place sa réforme de l'économie.

Lettre 140
Rica à Usbek à ***[1]

Le parlement de Paris vient d'être relégué dans une petite ville qu'on appelle *Pontoise*[2]. Le Conseil lui a envoyé enregistrer ou approuver une déclaration qui le déshonore, et il l'a enregistrée d'une manière qui déshonore le Conseil.
5 On menace d'un pareil traitement quelques parlements du royaume.

Ces compagnies sont toujours odieuses[3] : elles n'approchent des rois que pour leur dire de tristes vérités, et, pendant qu'une foule de courtisans leur représentent sans cesse
10 un peuple heureux sous leur gouvernement, elles viennent démentir la flatterie, et apporter aux pieds du trône les gémissements et les larmes dont elles sont dépositaires.

C'est un pesant fardeau, mon cher Usbek, que celui de la vérité, lorsqu'il faut la porter jusques aux princes. Ils
15 doivent bien penser que ceux qui s'y déterminent y sont contraints, et qu'ils ne se résoudraient jamais à faire des démarches si tristes et si affligeantes pour ceux qui les font, s'ils n'y étaient forcés par leur devoir, leur respect, et même leur amour.

De Paris, le 21 de la lune de Gemmadi 1, 1720.

notes

1. *** : le lieu de résidence d'Usbek n'est pas précisé.

2. Pontoise : la relégation du parlement de Paris à Pontoise dura de la mi-juillet à décembre 1720.

3. odieuses : insupportables.

Au fil du texte

Questions sur « L'actualité et la satire politique » (lettres 37, 92, 107, 138 et 140, pp. 52 à 60)

Avez-vous bien lu ?

1. De quand est datée la lettre 37 ?
2. Quel est le monarque en France à cette date ? Depuis combien de temps règne-t-il ?
3. En quelle année Louis XIV meurt-il ?
4. Qui lui succède ? Quel est l'âge de Louis XV à cette date ?
5. Que devient le testament de Louis XIV à sa succession ?
6. Quelles sont les deux épreuves qui font connaître le caractère d'un roi selon Rica ?
7. Dans quelle lettre est-il question des bouleversements économiques qu'entraîna le système de Law ?
8. Pourquoi les parlements dérangent-ils le monarque ?

tournure : **construction grammaticale.**

narrateur : **la personne fictive (dans un roman) qui raconte les événements.**

Étudier le discours

9. Lettre 37 : Usbek détaille les contradictions du monarque. Notez trois tournures* différentes pour exprimer ces contradictions dans le second paragraphe de la lettre (l. 9 à 22).
10. Quels sont les narrateurs* de ces lettres ? Quels sont les indices dans les lettres qui montrent qu'ils sont orientaux ?
11. Le portrait de Louis XV (lettre 107) : relevez les adjectifs subjectifs qui introduisent un jugement de valeur du narrateur. Ce jugement est-il favorable ou défavorable ?

ÉTUDIER UN THÈME : L'ABSOLUTISME

12. Selon Usbek quel gouvernement admire Louis XIV ?

13. Qui sont (lettre 37, l. 13-14) *« ceux qui disent qu'il faut observer la religion »* avec rigueur ?

14. De quelle façon est présenté le testament de Louis XIV dans la lettre 92 ? Quelle est sa justification selon le narrateur* ?

15. Comment se manifeste la magnificence de Louis XIV selon Usbek (lettre 37) ?

16. Pour quelles raisons les parlements jouent-ils un rôle secondaire dans la vie politique française selon Usbek (lettre 92) ? Le successeur de Louis XIV adopte-t-il la même politique à l'égard des parlements ?

17. Les récompenses distribuées par Louis XIV apparaissent-elles toujours motivées et légitimes dans la description qu'en fait Usbek à la lettre 37 ?

narrateur : **la personne fictive (dans un roman) qui raconte les événements.**

étymologie : **l'origine du mot.**

ÉTUDIER LE VOCABULAIRE ET LA GRAMMAIRE

18. Quelle est l'étymologie* du mot *« parlement »* (lettre 140, l. 1) ?

19. Certains mots anglais (comme *parlement*) ont été empruntés à l'ancien français. Cherchez d'autres mots anglais empruntés à la langue française.

20. Le français a aussi emprunté beaucoup de mots à l'anglais. À quelles époques ? Donnez quatre exemples.

21. Donnez les homonymes* du mot « *Chah* » (lettre 92, l. 44) et employez-les dans une phrase.

22. Cherchez l'origine étymologique du jeu d'échec.

23. Donnez un paronyme* du mot « *méditation* » (lettre 138, l. 19) et employez-le dans une phrase.

24. La polysynodie désigne un système qui additionne plusieurs *conseils* (comparables aux ministères actuels) pour gérer les affaires publiques. Cherchez trois autres mots construits avec le même préfixe* et expliquez leur signification.

25. Relevez les démonstratifs de la lettre 92 et précisez leur nature.

26. Relevez trois verbes au subjonctif dans la lettre 37 et expliquez leur utilisation.

Étudier l'écriture

27. Relevez trois comparaisons* dans la lettre 138.

28. Relevez une phrase dans la lettre 92 qui utilise la juxtaposition* là où l'on aurait pu employer une conjonction de coordination.

29. Relevez une phrase, dans la lettre 37, qui évoque les courtisans. Quel est le point de vue du narrateur sur ceux-ci ?

30. Relevez une phrase dans la lettre 92 qui utilise un rythme ternaire*.

Étudier le genre : la satire politique

31. Faites la liste des critiques adressées à Louis XIV dans la lettre 37.

homonyme : **mot qui se prononce de la même façon qu'un autre.**

paronyme : **mot dont la prononciation est très proche d'un autre.**

préfixe : **élément qui précède le radical d'un mot.**

comparaison : **rapprochement explicite entre deux réalités.**

juxtaposition : **séparation de deux mots ou de deux propositions par un signe de ponctuation (sans mot de liaison).**

rythme ternaire : **composé de trois éléments.**

32. Quelle est la période qui semble bénéficier de l'indulgence du narrateur* dans ces pages ?

33. Pour quelle raison Rica est-il surpris par le pouvoir des femmes en Occident ? Valorise-t-il cette féminisation des mœurs politiques ou s'en moque-t-il ? Relevez quelques expressions ou quelques passages qui illustreront votre réponse.

34. Quels sont les bouleversements sociaux entraînés par le système de Law selon Rica ? Quelle est l'opinion du narrateur* sur ces changements ?

narrateur : **la personne fictive (dans un roman) qui raconte les événements.**

À vos plumes !

35. Faites le portrait d'un homme politique important.

36. Imaginez le dialogue entre le roi et un courtisan soucieux de se faire apprécier.

37. Imaginez le dialogue entre un maître ruiné et son valet qui vient de faire fortune.

38. Vous écrivez à un ami qui vit dans un pays non démocratique pour lui expliquer le système politique français. Vous essayez de lui montrer les avantages et les inconvénients éventuels du système français.

Lire l'image

Voir document p. 65.

39. Imagineriez-vous un portrait du président de la République actuel avec le même décor et le même costume ? Pourquoi ?

40. Quelles impressions ce portrait provoque-t-il sur vous ? Justifiez votre réponse en analysant certains détails.

***Portrait de Louis XIV*, peinture de Hyacinthe Rigaud, 1701, Paris, Musée du Louvre.**

La satire religieuse

Un pape qualifié de *« vieille idole qu'on encense par habitude »*, une religion catholique qui pousse l'intolérance jusqu'à menacer ses membres les plus exigeants (les jansénistes) ou expulser ceux qui refusent certains dogmes (les protestants) quand elle ne brûle pas *« comme de la paille »* les hérétiques (l'Inquisition espagnole), des querelles théologiques qui engendrent des massacres (les guerres de religion), des autorités ecclésiastiques, à la solde des puissants, qui ignorent le sort des pauvres : le visage de la religion présenté par les *Lettres persanes* est un des plus sombres et la satire une des plus virulentes qui furent présentés en ce début de XVIIIe siècle. L'Islam des Persans n'est pas non plus épargné. Cette critique vaudra à Montesquieu quelques émules (Voltaire par exemple) mais aussi pas mal d'ennemis et des attaques menées par les autorités religieuses. L'abbé Gaultier publiera ainsi *Les Lettres persanes convaincues d'impiété* en 1751. Et Montesquieu, considéré comme blasphémateur, devra alors prendre la plume, dans les *Réflexions de 1754* en particulier, pour se défendre.

Lettre 29
Rica à Ibben, à Smyrne

Le Pape est le Chef des Chrétiens. C'est une vieille idole qu'on encense par habitude. Il était autrefois redoutable aux princes mêmes : car il les déposait[1] aussi facilement que nos magnifiques sultans déposent les rois d'Irimette et de Géorgie[2]. Mais on ne le craint plus. Il se dit successeur d'un des premiers Chrétiens, qu'on appelle *saint Pierre*, et c'est certainement une riche succession : car il a des trésors immenses et un grand pays sous sa domination.

Les évêques sont des gens de loi qui lui sont subordonnés et ont, sous son autorité, deux fonctions bien différentes : quand ils sont assemblés, ils font, comme lui, des articles de foi ; quand ils sont en particulier, ils n'ont guère d'autre fonction que de dispenser d'accomplir la Loi. Car tu sauras que la religion chrétienne est chargée d'une infinité de pratiques très difficiles, et, comme on a jugé qu'il est moins aisé de remplir ses devoirs que d'avoir des évêques qui en dispensent, on a pris ce dernier parti pour l'utilité publique. De sorte que si l'on ne veut pas faire le Rhamazan[3] ; si on ne veut pas s'assujettir aux formalités des mariages ; si on veut rompre ses vœux ; si on veut se marier contre les défenses de la Loi ; quelquefois même, si on veut revenir contre son serment : on va à l'Évêque ou au Pape, qui donne aussitôt la dispense.

notes

1. déposait : destituait.

2. les rois d'Irimette et de Géorgie : deux royaumes caucasiens soumis à la Perse.

3. le Rhamazan : le ramadan.

Les évêques ne font pas des articles de foi de leur propre mouvement. Il y a un nombre infini de docteurs, la plupart dervis[1], qui soulèvent entre eux mille questions nouvelles sur la Religion. On les laisse disputer longtemps et la guerre dure jusqu'à ce qu'une décision vienne la terminer. Aussi puis-je t'assurer qu'il n'y a jamais eu de royaume où il y ait eu tant de guerres civiles que dans celui du Christ. Ceux qui mettent au jour quelque proposition nouvelle sont d'abord appelés *hérétiques*[2]. Chaque hérésie a son nom, qui est, pour ceux qui y sont engagés, comme le nom de ralliement. Mais n'est hérétique qui ne veut : il n'y a qu'à partager le différend par la moitié et donner une distinction[3] à ceux qui accusent d'hérésie, et, quelle que soit la distinction, intelligible ou non, elle rend un homme blanc comme de la neige, et il peut se faire appeler *orthodoxe*.

Ce que je te dis est bon pour la France et l'Allemagne : car j'ai ouï dire qu'en Espagne et en Portugal il y a de certains dervis qui n'entendent point[4] raillerie, et qui font brûler un homme comme de la paille. Quand on tombe entre les mains de ces gens-là, heureux celui qui a toujours prié Dieu avec de petits grains de bois à la main[5], qui a porté sur lui deux morceaux de drap attachés à deux rubans[6], et qui a été quelquefois dans une province qu'on appelle *la*

notes

1. dervis : prêtres.

2. hérétiques : ceux qui ne suivent pas les dogmes de l'Église.

3. distinction : dans ce passage le mot a le sens d'explication. Selon le Dictionnaire de Richelet le mot est un « *terme de philosophie et de théologie* [qui] *consiste à dire les différentes manières dont on entend* [comprend] *une chose* ».

4. n'entendent point : ne comprennent pas.

5. de petits grains de bois : le chapelet qui sert à égrener les prières.

6. deux morceaux de drap attachés à deux rubans : le scapulaire, objet de dévotion.

Galice[1] ! Sans cela un pauvre diable est bien embarrassé. Quand il jurerait comme un Païen[2] qu'il est orthodoxe, on pourrait bien ne pas demeurer d'accord des qualités et le
50 brûler comme hérétique : il aurait beau donner sa distinction. Point de distinction ! Il serait en cendres avant que l'on eût seulement pensé à l'écouter.

Les autres juges présument[3] qu'un accusé est innocent ; ceux-ci le présument toujours coupable : dans le doute, ils
55 tiennent pour règle de se déterminer du côté de la rigueur ; apparemment parce qu'ils croient les hommes mauvais. Mais, d'un autre côté, ils en ont si bonne opinion, qu'ils ne les jugent jamais capables de mentir : car ils reçoivent le témoignage des ennemis capitaux, des femmes de
60 mauvaise vie, de ceux qui exercent une profession infâme. Ils font dans leur sentence un petit compliment à ceux qui sont revêtus d'une chemise de soufre[4], et leur disent qu'ils sont bien fâchés de les voir si mal habillés, qu'ils sont doux, qu'ils abhorrent[5] le sang et sont au désespoir de les avoir
65 condamnés. Mais, pour se consoler, ils confisquent tous les biens de ces malheureux à leur profit.

Heureuse[6] la terre qui est habitée par les enfants des Prophètes ! Ces tristes spectacles y sont inconnus. La sainte religion que les Anges y ont apportée se défend par sa
70 vérité même : elle n'a point besoin de ces moyens violents pour se maintenir.

De Paris, le 4 de la lune de Chalval, 1712.

notes

1. *la Galice* : région qui héberge Saint-Jacques de Compostelle, lieu de pèlerinage important encore aujourd'hui.

2. *Païen* : qui n'est pas chrétien.

3. *présument* : supposent.

4. *chemise de soufre* : celle des condamnés au bûcher.

5. *abhorrent* : détestent.

6. *Heureuse…* : « *Les Persans sont les plus tolérants de tous les Mahométans* » (note de Montesquieu).

Lettre 35
Usbek à Gemchid, son cousin, dervis[1] du brillant monastère de Tauris[2]

Que penses-tu des Chrétiens, sublime dervis ? Crois-tu qu'au jour du Jugement ils seront comme les infidèles Turcs, qui serviront d'ânes aux Juifs et les mèneront au grand trot en Enfer ? Je sais bien qu'ils n'iront point dans
5 le séjour des Prophètes, et que le grand Hali n'est point venu pour eux. Mais, parce qu'ils n'ont pas été assez heureux pour trouver des mosquées dans leur pays, crois-tu qu'ils soient condamnés à des châtiments éternels, et que Dieu les punisse pour n'avoir pas pratiqué une religion
10 qu'il ne leur a pas fait connaître ? Je puis te le dire : j'ai souvent examiné ces Chrétiens ; je les ai interrogés pour voir s'ils avaient quelque idée du grand Hali, qui était le plus beau de tous les hommes : j'ai trouvé qu'ils n'en avaient jamais ouï parler.
15 Ils ne ressemblent point à ces infidèles que nos saints prophètes faisaient passer au fil de l'épée, parce qu'ils refusaient de croire aux miracles du Ciel : ils sont plutôt comme ces malheureux qui vivaient dans les ténèbres de l'idolâtrie avant que la divine lumière vînt éclairer le visage de notre
20 grand Prophète.
D'ailleurs, si l'on examine de près leur religion, on y trouvera comme une semence de nos dogmes. J'ai souvent admiré les secrets de la Providence, qui semble les avoir voulu préparer par là à la conversion générale. J'ai ouï
25 parler d'un livre de leurs docteurs, intitulé *La Polygamie*

notes

1. *dervis* : ici, le mot désigne un religieux musulman.

2. *Tauris* : Tabriz, actuellement.

triomphante[1], dans lequel il est prouvé que la polygamie est ordonnée aux Chrétiens. Leur baptême est l'image de nos ablutions[2] légales, et les Chrétiens n'errent que dans l'efficacité qu'ils donnent à cette première ablution, qu'ils croient devoir suffire pour toutes les autres. Leurs prêtres et leurs moines prient comme nous sept fois le jour. Ils espèrent de jouir d'un paradis où ils goûteront mille délices par le moyen de la résurrection des corps. Ils ont, comme nous, des jeûnes marqués, des mortifications[3] avec lesquelles ils espèrent fléchir la miséricorde divine. Ils rendent un culte aux bons Anges et se méfient des mauvais. Ils ont une sainte crédulité pour les miracles que Dieu opère par le ministère de ses serviteurs. Ils reconnaissent, comme nous, l'insuffisance de leurs mérites et le besoin qu'ils ont d'un intercesseur auprès de Dieu. Je vois partout le Mahométisme, quoique je n'y trouve point Mahomet. On a beau faire, la Vérité s'échappe et perce toujours les ténèbres qui l'environnent. Il viendra un jour où l'Éternel ne verra sur la terre que des vrais Croyants : le temps, qui consume tout, détruira les erreurs mêmes ; tous les hommes seront étonnés de se voir sous le même étendard ; tout, jusques à la Loi, sera consommé : les divins exemplaires seront enlevés de la terre et portés dans les célestes Archives.

De Paris, le 20 de la lune de Zilhagé, 1713.

notes

1. La Polygamie triomphante : livre du protestant Johann Leiser.

2. *ablution* : lavage d'une partie du corps pour le purifier en vue d'un rite religieux.

3. *mortifications* : souffrances que l'on s'impose en vue de racheter ses fautes.

Lettre 46
Usbek à Rhédi, à Venise

Je vois ici des gens qui disputent sans fin sur la religion ; mais il me semble qu'ils combattent en même temps à qui l'observera le moins.

Non seulement ils ne sont pas meilleurs chrétiens, mais 5 même meilleurs citoyens, et c'est ce qui me touche : car, dans quelque religion qu'on vive, l'observation des lois, l'amour pour les hommes, la piété envers les parents sont toujours les premiers actes de religion.

En effet, le premier objet d'un homme religieux ne doit-il 10 pas être de plaire à la Divinité, qui a établi la religion qu'il professe ? Mais le moyen le plus sûr pour y parvenir est sans doute d'observer les règles de la société et les devoirs de l'humanité ; car, en quelque religion qu'on vive, dès qu'on en suppose une, il faut bien que l'on suppose aussi que 15 Dieu aime les hommes, puisqu'il établit une religion pour les rendre heureux ; que s'il aime les hommes, on est assuré de lui plaire en les aimant aussi, c'est-à-dire en exerçant envers eux tous les devoirs de la charité et de l'humanité, et en ne violant point les lois sous lesquelles ils vivent.

20 Par là, on est bien plus sûr de plaire à Dieu qu'en observant telle ou telle cérémonie : car les cérémonies n'ont point un degré de bonté par elles-mêmes ; elles ne sont bonnes qu'avec égards et dans la supposition que Dieu les a commandées. Mais c'est la matière d'une grande discus- 25 sion ; on peut facilement s'y tromper ; car il faut choisir les cérémonies d'une religion entre celles de deux mille.

Un homme faisait tous les jours à Dieu cette prière : « Seigneur, je n'entends rien dans les disputes que l'on fait sans cesse à votre sujet. Je voudrais vous servir selon votre

30 volonté ; mais chaque homme que je consulte veut que je vous serve à la sienne. Lorsque je veux vous faire ma prière, je ne sais en quelle langue je dois vous parler. Je ne sais pas non plus en quelle posture je dois me mettre : l'un dit que je dois vous prier debout ; l'autre veut que je sois assis ;
35 l'autre exige que mon corps porte sur mes genoux. Ce n'est pas tout : il y en a qui prétendent que je dois me laver tous les matins avec de l'eau froide ; d'autres soutiennent que vous me regarderez avec horreur si je ne me fais pas couper un petit morceau de chair[1]. Il m'arriva l'autre jour
40 de manger un lapin dans un caravansérail[2]. Trois hommes qui étaient auprès de là me firent trembler : ils me soutinrent tous trois que je vous avais grièvement offensé ; l'un[3], parce que cet animal était immonde ; l'autre[4], parce qu'il était étouffé ; l'autre enfin[5], parce qu'il n'était pas poisson.
45 Un Brachmane[6] qui passait par là, et que je pris pour juge, me dit : Ils ont tort : car apparemment vous n'avez pas tué vous-même cet animal. – Si fait, lui dis-je. – Ah ! vous avez commis une action abominable, et que Dieu ne vous pardonnera jamais, me dit-il d'une voix sévère. Que savez-
50 vous si l'âme de votre père n'était pas passée dans cette bête ? Toutes ces choses, Seigneur, me jettent dans un embarras inconcevable : je ne puis remuer la tête que je ne sois menacé de vous offenser ; cependant je voudrais vous plaire et employer à cela la vie que je tiens de vous. Je ne
55 sais si je me trompe ; mais je crois que le meilleur moyen

notes

1. couper un petit morceau de chair : allusion à la circoncision.

2. caravansérail : cour et bâtiments pour héberger des voyageurs et des nomades dans le monde oriental.

3. l'un : « *Un juif* » (note de Montesquieu).

4. l'autre : « *Un Turc* » (note de Montesquieu).

5. l'autre enfin : « *Un Arménien* » (note de Montesquieu).

6. Brachmane : Brahmane. Membre de la caste sacerdotale, la première des quatre grandes castes traditionnelles de l'Inde.

pour y parvenir est de vivre en bon citoyen dans la société où vous m'avez fait naître, et en bon père dans la famille que vous m'avez donnée. »

De Paris, le 8 de la lune de Chahban, 1713.

Lettre 75
Usbek à Rhédi, à Venise

Il faut que je te l'avoue : je n'ai point remarqué chez les chrétiens cette persuasion vive de leur religion qui se trouve parmi les musulmans. Il y a bien loin chez eux de la profession à la croyance, de la croyance à la conviction, 5 de la conviction à la pratique. La religion est moins un sujet de sanctification qu'un sujet de disputes qui appartient à tout le monde : les gens de cour, les gens de guerre, les femmes mêmes s'élèvent contre les ecclésiastiques, et leur demandent de leur prouver ce qu'ils sont résolus de ne 10 pas croire. Ce n'est pas qu'ils se soient déterminés par raison et qu'ils aient pris la peine d'examiner la vérité ou la fausseté de cette religion qu'ils rejettent : ce sont des rebelles qui ont senti le joug et l'ont secoué avant de l'avoir connu. Aussi ne sont-ils pas plus fermes dans leur incrédu- 15 lité que dans leur foi ; ils vivent dans un flux et reflux qui les porte sans cesse de l'un à l'autre. Un d'eux me disait un jour : « Je crois l'immortalité de l'âme par semestre ; mes opinions dépendent absolument de la constitution de mon corps : selon que j'ai plus ou moins d'esprits animaux[1], que

note

1. *esprits animaux* : atomes composés des parties les plus subtiles du corps dans l'ancienne médecine.

mon estomac digère bien ou mal, que l'air que je respire est subtil ou grossier, que les viandes dont je me nourris sont légères ou solides, je suis spinoziste[1], socinien[2], catholique, impie[3] ou dévot. Quand le médecin est auprès de mon lit, le confesseur me trouve à mon avantage. Je sais bien empêcher la religion de m'affliger quand je me porte bien ; mais je lui permets de me consoler quand je suis malade : lorsque je n'ai plus rien à espérer d'un côté, la religion se présente et me gagne par ses promesses ; je veux bien m'y livrer et mourir du côté de l'espérance. »

Il y a longtemps que les princes chrétiens affranchirent tous les esclaves de leurs États, parce que, disaient-ils, le christianisme rend tous les hommes égaux. Il est vrai que cet acte de religion leur était très utile : ils abaissaient par là les seigneurs, de la puissance desquels ils retiraient le bas peuple. Ils ont ensuite fait des conquêtes dans des pays où ils ont vu qu'il leur était avantageux d'avoir des esclaves ; ils ont permis d'en acheter et d'en vendre, oubliant ce principe de religion qui les touchait tant. Que veux-tu que je te dise ? Vérité dans un temps, erreur dans un autre. Que ne faisons-nous comme les chrétiens ? Nous sommes bien simples de refuser des établissements et des conquêtes faciles dans des climats heureux[4], parce que l'eau n'y est pas assez pure pour nous laver selon les principes du saint Alcoran[5] !

notes

1. *spinoziste* : partisan de la philosophie de Spinoza (1632-1677).

2. *socinien* : partisan de la philosophie de Socin (1525-1562).

3. *impie* : sans religion.

4. *climats heureux* : *« Les Mahométans ne se soucient point de prendre Venise, parce qu'ils n'y trouveraient point d'eau pour leurs purifications »* (note de Montesquieu).

5. *Alcoran* : le Coran.

45 Je rends grâces au Dieu tout-puissant, qui a envoyé Hali, son grand prophète, de ce que je professe une religion qui se fait préférer à tous les intérêts humains, et qui est pure comme le Ciel, dont elle est descendue.

De Paris, le 13 de la lune de Saphar, 1715.

Lettre 85
Usbek à Mirza, à Ispahan

Tu sais, Mirza, que quelques ministres de Chah Soliman[1] avaient formé le dessein d'obliger tous les Arméniens de Perse de quitter le royaume ou de se faire Mahométans, dans la pensée que notre empire serait toujours pollué tan-
5 dis qu'il garderait dans son sein ces infidèles.

C'était fait[2] de la grandeur persane, si, dans cette occasion, l'aveugle dévotion avait été écoutée.

On ne sait comment la chose manqua : ni ceux qui firent la proposition, ni ceux qui la rejetèrent n'en connurent les
10 conséquences ; le hasard fit l'office de la raison et de la politique et sauva l'Empire d'un péril plus grand que celui qu'il aurait pu courir de la perte d'une bataille et de la prise de deux villes.

En proscrivant les Arméniens, on pensa détruire en un seul
15 jour tous les négociants et presque tous les artisans du

notes

1. Chah Soliman : roi de Perse qui régna de 1666 à 1694.

2. c'était fait : c'en était fait.

royaume. Je suis sûr que le grand Chah Abbas[1] aurait mieux aimé se faire couper les deux bras que de signer un ordre pareil, et qu'en envoyant au Mogol[2] et aux autres rois des Indes ses sujets les plus industrieux il aurait cru leur
20 donner la moitié de ses États.
Les persécutions que nos Mahométans zélés ont faites aux Guèbres[3] les ont obligés de passer en foule dans les Indes et ont privé la Perse de cette nation si appliquée au labourage, et qui seule, par son travail, était en état de vaincre la
25 stérilité de nos terres.
Il ne restait à la dévotion qu'un second coup à faire ; c'était de ruiner l'industrie : moyennant quoi l'Empire tombait de lui-même, et, avec lui, par une suite nécessaire, cette même religion qu'on voulait rendre si florissante.
30 S'il faut raisonner sans prévention, je ne sais pas, Mirza, s'il n'est pas bon que dans un État il y ait plusieurs religions.
On remarque que ceux qui vivent dans des religions tolérées se rendent ordinairement plus utiles à leur patrie que ceux qui vivent dans la religion dominante ; parce que,
35 éloignés des honneurs, ne pouvant se distinguer que par leur opulence et leurs richesses, ils sont portés à acquérir par leur travail et à embrasser les emplois de la Société les plus pénibles.
D'ailleurs, comme toutes les religions contiennent des
40 préceptes utiles à la Société, il est bon qu'elles soient observées avec zèle. Or qu'y a-t-il de plus capable d'animer ce zèle que leur multiplicité ?

notes

1. Abbas : roi de Perse qui régna de 1587 à 1629.

2. Mogol : roi du Nord de l'Inde.

3. Guèbres : Persans qui gardèrent leur foi en Zoroastre et ne se convertirent pas à l'Islam.

Ce sont des rivales qui ne se pardonnent rien. La jalousie descend jusqu'aux particuliers : chacun se tient sur ses 45 gardes et craint de faire des choses qui déshonoreraient son parti et l'exposeraient aux mépris et aux censures impardonnables du parti contraire.

Aussi a-t-on toujours remarqué qu'une secte[1] nouvelle introduite dans un État était le moyen le plus sûr pour 50 corriger tous les abus de l'ancienne.

On a beau dire qu'il n'est pas de l'intérêt du prince de souffrir plusieurs religions dans son État. Quand toutes les sectes du monde viendraient s'y rassembler, cela ne lui porterait aucun préjudice, parce qu'il n'y en a aucune qui ne 55 prescrive l'obéissance et ne prêche la soumission.

J'avoue que les histoires sont remplies de guerres de religion. Mais, qu'on y prenne bien garde : ce n'est point la multiplicité des religions qui a produit ces guerres, c'est l'esprit d'intolérance, qui animait celle qui se croyait la 60 dominante ; c'est cet esprit de prosélytisme[2] que les Juifs ont pris des Égyptiens, et qui, d'eux, est passé, comme une maladie épidémique et populaire, aux Mahométans et aux Chrétiens ; c'est, enfin, cet esprit de vertige, dont les progrès ne peuvent être regardés que comme une éclipse 65 entière de la raison humaine.

Car, enfin, quand il n'y aurait pas de l'inhumanité à affliger la conscience des autres ; quand il n'en résulterait aucun des mauvais effets qui en germent à milliers : il faudrait être fou pour s'en aviser. Celui qui veut me faire changer de

notes

1. secte : groupe religieux.

2. prosélytisme : zèle déployé pour répandre la foi.

70 religion ne le fait sans doute que parce qu'il ne changerait pas la sienne, quand on voudrait l'y forcer : il trouve donc étrange que je ne fasse pas une chose qu'il ne ferait pas lui-même peut-être pour l'empire du monde.

De Paris, le 25 de la lune de Gemmadi 1, 1715.

Homme condamné au feu par l'inquisition de Goal,
gravure de la fin du XVIIIe siècle.

Au fil du texte

Questions sur « La satire religieuse » (lettres 29, 35, 46, 75 et 85, pp. 67 à 79)

Avez-vous bien lu ?

1. Pour Rica, le pouvoir du pape s'est-il accru ou a-t-il diminué lors des derniers siècles ?

2. De qui le pape est-il le successeur ?

3. Que reproche Rica aux évêques ?

4. Quelles sont, selon Rica, les causes des guerres civiles occidentales ?

5. Qu'est-ce qu'un hérétique ?

6. Dans quel pays européen les catholiques font-ils brûler les hérétiques ?

7. Dans quelle lettre est-il question d'un Brahmane ?

8. Pour quelle raison le christianisme condamne-t-il l'esclavage ?

9. Les chrétiens ont-ils, selon Rica, été toujours fidèles à ce principe ?

10. Selon Usbek, les ministres du Chah Soliman voulaient expulser ou convertir une communauté : laquelle ?

***discours indirect* :** **discours introduisant les propos cités avec un verbe introducteur et une complétive.**

***discours direct* :** **discours citant des propos sans terme introducteur.**

Étudier le discours

11. Citez un passage au discours indirect*, dans la lettre 29, et transformez-le en discours direct*.

12. Pourquoi Usbek interroge-t-il son cousin dans la lettre 35 ? Quelle est la profession de celui-ci ?

13. Quelles sont les phrases qui interpellent plus directement le destinataire* dans cette lettre ?

14. Quelles réponses apporte Usbek, dans la lettre 35, aux interrogations qu'il soulève ?

ÉTUDIER UN THÈME : LA CRITIQUE DU CATHOLICISME

15. Dans quelle lettre est-il question de la richesse du pape ? En quoi celle-ci peut-elle être choquante ?

16. Pourquoi la religion favorise-t-elle la guerre selon Rica ?

17. Quelles sont les pratiques qui permettent d'échapper au bûcher et au soupçon pour l'Inquisition ? Sont-elles les marques d'une foi réelle ?

18. Les contradictions des catholiques : relevez deux exemples qui pourraient démontrer les principes très relatifs des catholiques dans la lettre 29.

19. Quels sont les points communs entre la religion musulmane et la religion catholique selon Usbek ?

ÉTUDIER LE VOCABULAIRE ET LA GRAMMAIRE

20. Cherchez l'étymologie* du mot *« orthodoxe »* (lettre 29, l. 38) puis donnez deux mots qui utiliseront la première partie de l'étymon* avant d'en donner deux qui utiliseront la seconde partie.

21. Donnez deux synonymes* du mot *« abhorrent »* (lettre 29, l. 64).

destinataire : **celui à qui on s'adresse.**

étymologie : **l'origine du mot.**

étymon : **mot d'origine dont est issu le mot français.**

synonyme : **mot de signification très proche ou identique.**

22. Décomposez le mot « *polygamie* » (lettre 35, l. 25) puis donnez son opposé.

23. Cherchez l'étymologie* du mot « *caravansérail* » (lettre 46, l. 40). De quel autre mot peut-on le rapprocher ?

24. Quelle est l'étymologie* du verbe « *errer* » (lettre 35, l. 28) ? Donnez deux autres mots provenant du même étymon* latin en français.

25. Donnez un synonyme* du mot « *dévot* » (lettre 75, l. 23).

26. Donnez l'origine du mot « *florissante* » (lettre 85, l. 29) et donnez trois mots composés à partir de la même étymologie.

27. Relevez les adverbes en *-ment* présents dans la lettre 29 et expliquez leur formation. Vous donnerez deux exemples pour illustrer les règles de formation.

28. Relevez un participe présent et un adjectif verbal dans la lettre 85. Quelles sont les différences orthographiques entre les deux types de mots ?

étymologie : **l'origine du mot.**

étymon : **mot d'origine dont est issu le mot français.**

synonyme : **mot de signification très proche ou identique.**

comparaison : **rapprochement explicite entre deux réalités.**

ÉTUDIER L'ÉCRITURE

29. Relevez trois comparaisons*, appliquées aux chrétiens, présentes dans la lettre 35.

30. Dans quelle lettre cite-t-on longuement les propos d'un homme ? À qui le discours est-il adressé ? Quelle est la fonction de ce discours ? Quelle sera ensuite la conclusion de cette intervention ?

31. Relevez trois passages, empruntés à trois lettres différentes, montrant la supériorité de la religion musulmane pour Rica et Usbek.

32. Quels sont les différents arguments* en faveur de la tolérance que vous pouvez distinguer dans la lettre 85 ?

ÉTUDIER LE GENRE : LA SATIRE*

33. Relevez une expression péjorative* utilisée pour qualifier le pape.

34. Pape et évêques constituent-ils des références morales selon Rica ?

35. À quelle époque l'édit de Nantes fut-il signé ? À quelle époque fut-il révoqué ? La lettre 85 peut-elle contenir des allusions à ces événements et à leurs conséquences ?

36. Quelles sont les conséquences économiques de l'intolérance dans la lettre 85 ?

argument : **idée utilisée pour défendre une thèse.**

satire : **discours qui se moque d'une personne ou d'une réalité particulière.**

péjoratif : **défavorable, dépréciatif.**

À VOS PLUMES

37. Imaginez la réponse de Gemchid à la lettre 35.

38. Rica se rend à Saint-Jacques de Compostelle. Racontez ce voyage en prenant soin de décrire les rites religieux auxquels il assiste.

39. Imaginez une lettre de Rica qui condamnerait l'esclavage.

LIRE L'IMAGE

Voir document p. 79.

40. Dans quelle lettre est-il question de l'Inquisition ? Quels détails retrouvez-vous dans la gravure ?

41. Que distingue-t-on à l'arrière-plan ?

La condition féminine

Si nos deux Persans critiquent le fanatisme des religieux et l'absolutisme royal, il est un point sur lequel leur sens de la dérision achoppe : le rôle des femmes. L'éducation qu'ils ont reçue, imprégnée d'Islam sectaire, nourrit d'insondables résistances et des réflexes effarouchés devant les femmes épanouies et brillantes qui animent les rues et les salons parisiens. Leur tolérance et leur esprit libéral butent sur des préjugés misogynes qui rejoignent ceux des autorités catholiques. Habitués à voir la femme contrôlée, soumise, docile, ils sont d'abord effrayés par la liberté des femmes occidentales et leur rôle dans la vie sociale. Le mépris plus ou moins conscient de la féminité qu'éprouvent nos deux Persans est soumis à rude épreuve dans le Paris du XVIIIe siècle. Mais très vite, on sent, derrière les marques d'une supériorité masculine ou d'un dédain phallocrate, un étonnement et une curiosité teintée d'attirance…

Lettre 20
Usbek à Zachi, sa femme, au sérail d'Ispahan

Vous m'avez offensé, Zachi, et je sens dans mon cœur des mouvements[1] que vous devriez craindre, si mon éloignement ne vous laissait le temps de changer de conduite et d'apaiser la violente jalousie dont je suis tourmenté.
5 J'apprends qu'on vous a trouvée seule avec Nadir, eunuque[2] blanc, qui payera de sa tête son infidélité et sa perfidie. Comment vous êtes-vous oubliée jusqu'à ne pas sentir qu'il ne vous est pas permis de recevoir dans votre chambre un eunuque blanc, tandis que vous en avez de noirs destinés à
10 vous servir ? Vous avez beau me dire que des eunuques ne sont pas des hommes, et que votre vertu vous met au-dessus des pensées que pourrait faire naître en vous une ressemblance imparfaite. Cela ne suffit ni pour vous ni pour moi : pour vous, parce que vous faites une chose que les lois du
15 sérail vous défendent ; pour moi, en ce que vous m'ôtez l'honneur, en vous exposant à des regards… Que dis-je, à des regards ? Peut-être aux entreprises d'un perfide qui vous aura souillée par ses crimes, et plus encore par ses regrets et le désespoir de son impuissance.
20 Vous me direz peut-être que vous m'avez été toujours fidèle. Eh ! pouviez-vous ne l'être pas ? Comment auriez-vous trompé la vigilance des eunuques noirs qui sont si surpris de la vie que vous menez ? Comment auriez-vous pu briser ces verrous et ces portes qui vous tiennent enfer-

notes

1. mouvements : impulsions.

2. eunuque : homme châtré qui gardait les femmes dans un harem.

25 mée ? Vous vous vantez d'une vertu qui n'est pas libre, et peut-être que vos désirs impurs vous ont ôté mille fois le mérite et le prix de cette fidélité que vous vantez tant.

Je veux que vous n'ayez point fait tout ce que j'ai lieu de soupçonner ; que ce perfide n'ait point porté sur vous ses 30 mains sacrilèges ; que vous ayez refusé de prodiguer à sa vue les délices de son maître ; que, couverte de vos habits, vous ayez laissé cette faible barrière entre lui et vous ; que, frappé lui-même d'un saint respect, il ait baissé les yeux ; que, manquant à sa hardiesse, il ait tremblé sur les châti- 35 ments qu'il se prépare. Quand tout cela serait vrai, il ne l'est pas moins que vous avez fait une chose qui est contre votre devoir. Et, si vous l'avez violé gratuitement, sans remplir vos inclinations déréglées, qu'eussiez-vous fait pour les satisfaire ? Que feriez-vous encore si vous pouviez sortir de 40 ce lieu sacré, qui est pour vous une dure prison, comme il est pour vos compagnes un asile favorable contre les atteintes du vice, un temple sacré, où votre sexe perd sa faiblesse et se trouve invincible malgré tous les désavantages de la nature ? Que feriez-vous si, laissée à vous-même, vous 45 n'aviez pour vous défendre que votre amour pour moi, qui est si grièvement offensé, et votre devoir que vous avez si indignement trahi ? Que les mœurs du pays où vous vivez sont saintes, qui vous arrachent aux attentats des plus vils esclaves ! Vous devez me rendre grâce de la gêne où je vous 50 fais vivre, puisque ce n'est que par là que vous méritez encore de vivre.

Vous ne pouvez souffrir[1] le chef des eunuques, parce qu'il a toujours les yeux sur votre conduite, et qu'il vous donne ses sages conseils. Sa laideur, dites-vous, est si grande que

note

1. souffrir : supporter.

55 vous ne pouvez le voir sans peine ; comme si, dans ces sortes de postes, on mettait de plus beaux objets[1]. Ce qui vous afflige est de n'avoir pas à sa place l'eunuque blanc qui vous déshonore.

Mais que vous a fait votre première esclave ? Elle vous a dit 60 que les familiarités que vous preniez avec la jeune Zélide étaient contre la bienséance[2]. Voilà la raison de votre haine. Je devrais être, Zachi, un juge sévère ; je ne suis qu'un époux qui cherche à vous trouver innocente. L'amour que j'ai pour Roxane, ma nouvelle épouse, m'a laissé toute la 65 tendresse que je dois avoir pour vous, qui n'êtes pas moins belle. Je partage mon amour entre vous deux, et Roxane n'a d'autre avantage que celui que la vertu peut ajouter à la beauté.

De Smyrne, le 12 de la lune de Zilcadé, 1711.

Lettre 23
Usbek à son ami Ibben, à Smyrne

Nous sommes arrivés à Livourne dans[3] quarante jours de navigation. C'est une ville nouvelle ; elle est un témoignage du génie des ducs de Toscane, qui ont fait d'un village marécageux la ville d'Italie la plus florissante.

5 Les femmes y jouissent d'une grande liberté. Elles peuvent voir les hommes à travers certaines fenêtres qu'on nomme

notes

1. objets : ce qui est placé devant les yeux.

2. bienséance : décence.

3. dans : après.

jalousies[1] ; elles peuvent sortir tous les jours avec quelques vieilles qui les accompagnent ; elles n'ont qu'un voile[2]. Leurs beaux-frères, leurs oncles, leurs neveux peuvent les 10 voir sans que le mari s'en formalise presque jamais.

C'est un grand spectacle pour un Mahométan de voir pour la première fois une ville chrétienne. Je ne parle pas des choses qui frappent d'abord tous les yeux, comme la différence des édifices, des habits, des principales coutumes. Il y 15 a jusque dans les moindres bagatelles quelque chose de singulier que je sens, et que je ne sais pas dire.

Nous partirons demain pour Marseille ; notre séjour n'y sera pas long. Le dessein de Rica et le mien est de nous rendre incessamment[3] à Paris, qui est le siège de l'empire 20 d'Europe. Les voyageurs cherchent toujours les grandes villes, qui sont une espèce de patrie commune à tous les étrangers.

Adieu ; sois persuadé que je t'aimerai toujours.

De Livourne, le 12 de la lune de Saphar, 1712.

Lettre 26

Usbek à Roxane, au sérail[4] d'Ispahan

Que vous êtes heureuse, Roxane, d'être dans le doux pays de Perse, et non pas dans ces climats empoisonnés où l'on ne connaît ni la pudeur ni la vertu ! Que vous êtes heu-

notes

1. ***jalousies :*** volets de bois ou de métal au travers duquel on peut voir sans être vu.

2. ***un voile :*** « *Les Persanes en ont quatre* » (note de Montesquieu).

3. ***incessamment :*** bientôt.

4. ***sérail :*** harem ici.

reuse ! Vous vivez dans mon sérail comme dans le séjour de l'innocence, inaccessible aux attentats de tous les humains ; vous vous trouvez avec joie dans une heureuse impuissance de faillir[2] : jamais homme ne vous a souillée de ses regards lascifs[3] ; votre beau-père même, dans la liberté des festins, n'a jamais vu votre belle bouche : vous n'avez jamais manqué de vous attacher un bandeau sacré pour la couvrir. Heureuse Roxane ! Quand vous avez été à la campagne, vous avez toujours eu des eunuques qui ont marché devant vous pour donner la mort à tous les téméraires qui n'ont pas fui à votre vue. Moi-même, à qui le Ciel vous a donnée pour faire mon bonheur, quelle peine n'ai-je pas eue pour me rendre maître de ce trésor que vous défendiez avec tant de constance ! Quel chagrin pour moi, dans les premiers jours de notre mariage, de ne pas vous voir ! Et quelle impatience quand je vous eus vue ! Vous ne la satisfaisiez pourtant pas ; vous l'irritiez, au contraire, par les refus obstinés d'une pudeur alarmée : vous me confondiez avec tous ces hommes à qui vous vous cachez sans cesse. Vous souvient-il de ce jour où je vous perdis parmi vos esclaves qui me trahirent et vous dérobèrent à mes recherches ? Vous souvient-il de cet autre où, voyant vos larmes impuissantes, vous employâtes l'autorité de votre mère pour arrêter les fureurs de mon amour ? Vous souvient-il, lorsque toutes les ressources vous manquèrent, de celles que vous trouvâtes dans votre courage ? Vous prîtes un poignard et menaçâtes d'immoler[3] un époux qui vous

notes

1. faillir : fauter.

2. lascifs : pleins de désir.

3. immoler : tuer.

aimait, s'il continuait à exiger de vous ce que vous chérissiez plus que votre époux même. Deux mois se passèrent dans ce combat de l'Amour et de la Vertu. Vous poussâtes trop loin vos chastes scrupules : vous ne vous rendîtes pas même après avoir été vaincue ; vous défendîtes jusques à la dernière extrémité une virginité mourante ; vous me regardâtes comme un ennemi qui vous avait fait un outrage, non pas comme un époux qui vous avait aimée ; vous fûtes plus de trois mois que vous n'osiez me regarder sans rougir : votre air confus semblait me reprocher l'avantage que j'avais pris. Je n'avais pas même une possession tranquille : vous me dérobiez tout ce que vous pouviez de ces charmes et de ces grâces, et j'étais enivré des plus grandes faveurs sans avoir obtenu les moindres.

Si vous aviez été élevée dans ce pays-ci, vous n'auriez pas été si troublée ; les femmes y ont perdu toute retenue ; elles se présentent devant les hommes à visage découvert, comme si elles voulaient demander leur défaite ; elles les cherchent de leurs regards ; elles les voient dans les mosquées, les promenades, chez elles-mêmes ; l'usage de se faire servir par des eunuques leur est inconnu. Au lieu de cette noble simplicité et de cette aimable pudeur qui règne parmi vous, on voit une impudence brutale, à laquelle il est impossible de s'accoutumer.

Oui, Roxane, si vous étiez ici, vous vous sentiriez outragée dans l'affreuse ignominie où votre sexe est descendu ; vous fuiriez ces abominables lieux, et vous soupireriez pour cette douce retraite, où vous trouvez l'innocence, où vous êtes sûre de vous-même, où nul péril ne vous fait trembler, où enfin vous pouvez m'aimer sans craindre de perdre jamais l'amour que vous me devez.

Quand vous relevez l'éclat de votre teint par les plus belles couleurs ; quand vous vous parfumez tout le corps des essences les plus précieuses ; quand vous vous parez de vos plus beaux habits ; quand vous cherchez à vous distinguer de vos compagnes par les grâces de la danse et par la douceur de votre chant ; que vous combattez gracieusement avec elles de charmes, de douceur et d'enjouement ; je ne puis m'imaginer que vous ayez d'autre objet que celui de me plaire ; et, quand je vous vois rougir modestement ; que vos regards cherchent les miens ; que vous vous insinuez dans mon cœur par des paroles douces et flatteuses : je ne saurais, Roxane, douter de votre amour.

Mais que puis-je penser des femmes d'Europe ? L'art de composer leur teint, les ornements dont elles se parent, les soins qu'elles prennent de leur personne, le désir continuel de plaire qui les occupe sont autant de taches faites à leur vertu et d'outrages à leurs époux.

Ce n'est pas, Roxane, que je pense qu'elles poussent l'attentat aussi loin qu'une pareille conduite devrait le faire croire, et qu'elles portent la débauche à cet excès horrible qui fait frémir, de violer absolument la foi conjugale. Il y a bien peu de femmes assez abandonnées pour aller jusque-là : elles portent toutes dans leur cœur un certain caractère de vertu qui y est gravé, que la naissance donne, et que l'éducation affaiblit, mais ne détruit pas. Elles peuvent bien se relâcher des devoirs extérieurs que la pudeur exige ; mais, quand il s'agit de faire les derniers pas, la nature se révolte. Aussi, quand nous vous enfermons si étroitement ; que nous vous faisons garder par tant d'esclaves ; que nous gênons si fort vos désirs lorsqu'ils volent trop loin : ce n'est pas que nous craignions la dernière infidélité ; mais c'est que nous savons que la pureté ne saurait être trop grande, et que la moindre tache peut la corrompre.

Je vous plains, Roxane. Votre chasteté, si longtemps éprouvée, méritait un époux qui ne vous eût jamais quittée, et qui pût lui-même réprimer les désirs que votre seule vertu sait soumettre.

De Paris, le 7 de la lune de Rhegeb, 1712.

Lettre 38
Rica à Ibben, à Smyrne

C'est une grande question, parmi les hommes, de savoir s'il est plus avantageux d'ôter aux femmes la liberté que de la leur laisser ; il me semble qu'il y a bien des raisons pour et contre. Si les Européens disent qu'il n'y a pas de générosité
5 à rendre malheureuses les personnes que l'on aime, nos Asiatiques répondent qu'il y a de la bassesse aux hommes de renoncer à l'empire que la Nature leur a donné sur les femmes. Si on leur dit que le grand nombre de femmes enfermées est embarrassant, ils répondent que dix femmes
10 qui obéissent embarrassent moins qu'une qui n'obéit pas. Que s'ils objectent à leur tour que les Européens ne sauraient être heureux avec des femmes qui ne leur sont pas fidèles, on leur répond que cette fidélité, qu'ils vantent tant, n'empêche point le dégoût qui suit toujours les
15 passions satisfaites ; que nos femmes sont trop à nous ; qu'une possession si tranquille ne nous laisse rien à désirer ni à craindre ; qu'un peu de coquetterie est un sel qui pique et prévient la corruption. Peut-être qu'un homme plus sage que moi serait embarrassé de décider : car, si les
20 Asiatiques font fort bien de chercher des moyens propres à calmer leurs inquiétudes, les Européens font fort bien aussi de n'en point avoir.

« Après tout, disent-ils, quand nous serions malheureux en qualité de maris, nous trouverions toujours moyen de nous 25 dédommager en qualité d'amants. Pour qu'un homme pût se plaindre avec raison de l'infidélité de sa femme, il faudrait qu'il n'y eût que trois personnes dans le monde ; ils seront toujours à but[1] quand il y en aura quatre. »

C'est une autre question de savoir si la Loi naturelle sou- 30 met les femmes aux hommes. « Non, me disait l'autre jour un philosophe très galant : la Nature n'a jamais dicté une telle loi. L'empire que nous avons sur elles est une véritable tyrannie ; elles ne nous l'ont laissé prendre que parce qu'elles ont plus de douceur que nous, et par conséquent, 35 plus d'humanité et de raison. Ces avantages qui devaient sans doute leur donner la supériorité, si nous avions été raisonnables, la leur ont fait perdre, parce que nous ne le sommes point. Or, s'il est vrai que nous n'avons sur les femmes qu'un pouvoir tyrannique, il ne l'est pas moins 40 qu'elles ont sur nous un empire naturel : celui de la beauté, à qui rien ne résiste. Le nôtre n'est pas de tous les pays ; mais celui de la beauté est universel. Pourquoi aurions-nous donc un privilège ? Est-ce parce que nous sommes les plus forts ? Mais c'est une véritable injustice. Nous 45 employons toutes sortes de moyens pour leur abattre le courage ; les forces seraient égales si l'éducation l'était aussi. Éprouvons-les dans les talents que l'éducation n'a point affaiblis, et nous verrons si nous sommes si forts. »

Il faut l'avouer, quoique cela choque nos mœurs : chez les 50 peuples les plus polis les femmes ont toujours eu de l'autorité sur leurs maris. Elle fut établie par une loi chez les

note

1. à but : à égalité.

Égyptiens, en l'honneur d'Isis[1], et chez les Babyloniens[2], en l'honneur de Sémiramis[3]. On disait des Romains qu'ils commandaient à toutes les nations, mais qu'ils obéissaient
55 à leurs femmes. Je ne parle point des Sauromates[4], qui étaient véritablement dans la servitude de ce sexe : ils étaient trop barbares pour que leur exemple puisse être cité.

Tu vois, mon cher Ibben, que j'ai pris le goût de ce pays-
60 ci, où l'on aime à soutenir des opinions extraordinaires et à réduire tout en paradoxe[5]. Le Prophète a décidé la question et a réglé des droits de l'un et de l'autre sexe : « Les femmes, dit-il, doivent honorer leurs maris ; leurs maris les doivent honorer : mais ils ont l'avantage d'un degré sur
65 elles. »[6]

De Paris, le 26 de la lune de Gemmadi 2, 1713.

notes

1. *Isis* : déesse égyptienne qui rend la vie à Osiris.

2. *Babyloniens* : habitants de Babylone, ville légendaire et cité maudite dans la Bible.

3. *Sémiramis* : reine légendaire de Babylonie.

4. *Sauromates* : ou Sarmates, habitants des vastes plaines qui s'étendent entre la Baltique et la Caspienne.

5. *paradoxe* : opinion contraire à l'opinion commune.

6. *Les femmes…* : citation empruntée au Coran, II, verset 228.

Au fil du texte

Questions sur « La condition féminine » (lettres 20, 23, 26 et 38, pp. 85 à 94)

AVEZ-VOUS BIEN LU ?

1. Que reproche Usbek à Zachi ?

2. Quelle autre femme évoque-t-il dans la lettre 20 ?

3. Quels sont les deux types d'eunuques qui veillent sur les femmes du sérail ?

4. Dans quelle ville italienne Usbek se rend-il ?

5. Que reproche Usbek aux femmes occidentales ?

6. Pour quelle raison Usbek plaint-il Roxane dans la lettre 26 ?

7. Quelle institution doit garantir, selon Usbek, la fidélité des femmes ?

8. Dans quelle lettre Rica cite-t-il « un philosophe très galant » ?

9. Celui-ci a-t-il le même point de vue que Rica sur les femmes ?

10. Quel texte religieux Rica cite-t-il dans la lettre 38 ?

rhétoricien : **personne qui sait utiliser le langage pour argumenter.**

ÉTUDIER LE DISCOURS

11. Quand il s'adresse aux femmes de son sérail, quel pronom personnel utilise Usbek ?

12. Usbek, en bon rhétoricien*, répond aux éventuelles objections de Zachi. Montrez-le en citant deux passages de la lettre 20.

13. Dans quel paragraphe de la lettre 26, Usbek imagine-t-il les réactions de Roxane en Occident ? Quel est alors le mode utilisé ? Pensez-vous qu'une femme réagirait nécessairement comme le suppose Usbek ?

14. Les lettres adressées par Usbek à ses épouses comportent-elles des formules affectueuses ou sentimentales ? Pourquoi selon vous ?

15. Qui est désigné par le pronom *« nous »* dans l'avant-dernier paragraphe de la lettre 26 (l. 79 à 94) ? Quel autre pronom personnel trouve-t-on dans ce passage ? Peut-on les opposer ?

ÉTUDIER UN THÈME : LA CONDITION FÉMININE

16. Comment une femme vit-elle dans le sérail ?

17. Est-elle libre de ses mouvements (citez une phrase d'Usbek, de la lettre 20, qui réponde directement à cette question) ?

18. Usbek est-il favorable à l'éducation pour les femmes ? Vous citerez une phrase de la lettre 26 qui indique son point de vue sur le sujet.

19. Usbek considère-t-il la femme comme l'égale de l'homme ? Pourquoi ?

20. Usbek affirme : *« je ne suis qu'un époux qui cherche à vous trouver innocente »* (lettre 20, l. 62-63). Êtes-vous d'accord avec cette phrase ?

21. Pour quelles raisons Usbek affirme-t-il que Roxane est heureuse ?

22. Quels sont les avantages du sérail selon Usbek (lettre 26) ?

ÉTUDIER LE VOCABULAIRE ET LA GRAMMAIRE

23. Cherchez l'étymologie* du mot *« servitude »* (lettre 38, l. 56) et donnez deux autres mots de la même famille.

24. Que veut dire le mot despotisme ? À quel personnage le mot pourrait-il s'appliquer ?

25. Relevez une subordonnée de cause dans la lettre 20 et transformez la phrase de façon à utiliser une subordonnée conjonctive de conséquence.

ÉTUDIER L'ÉCRITURE

26. Quelles expressions désignent le harem dans la lettre 20 ?

27. Quels sont les procédés* utilisés pour opposer les arguments* dans la lettre 38 ? Quelles sont les deux thèses* en question ?

28. La construction de la lettre 38 met-elle en valeur une des deux thèses exposées ?

ÉTUDIER LE GENRE ROMANESQUE

29. En quoi le sérail s'oppose-t-il aux autres lieux décrits dans le roman ?

30. Usbek et Rica sont souvent les porte-parole d'une satire* lucide des mœurs occidentales dans le roman. Est-ce le cas dans ces pages ?

étymologie : **l'origine du mot.**

procédé : **outil grammatical.**

argument : **idée utilisée pour défendre une thèse.**

thèse : **idée générale, opinion exposée par une personne.**

satire : **discours qui se moque d'une personne ou d'une réalité particulière.**

À VOS PLUMES !

31. Imaginez la réponse que pourrait envoyer Zachi après réception de la lettre d'Usbek. Vous pouvez aussi faire le même travail pour Roxane.

32. Inventez une scène dans laquelle Usbek tombera sous le charme d'une femme occidentale. Celle-ci, très attachée à sa liberté et à la défense de la condition féminine engage le dialogue avec le Persan.

33. Imaginez qu'un voyageur occidental se rende en Perse et visite un harem. Vous décrirez sa surprise en découvrant la condition des femmes enfermées.

LIRE L'IMAGE

Voir document p. 99.

34. Que font les personnages au centre de l'image ?

35. Distinguez-vous des eunuques ou des gardiens dans cette gravure ? Pourquoi ?

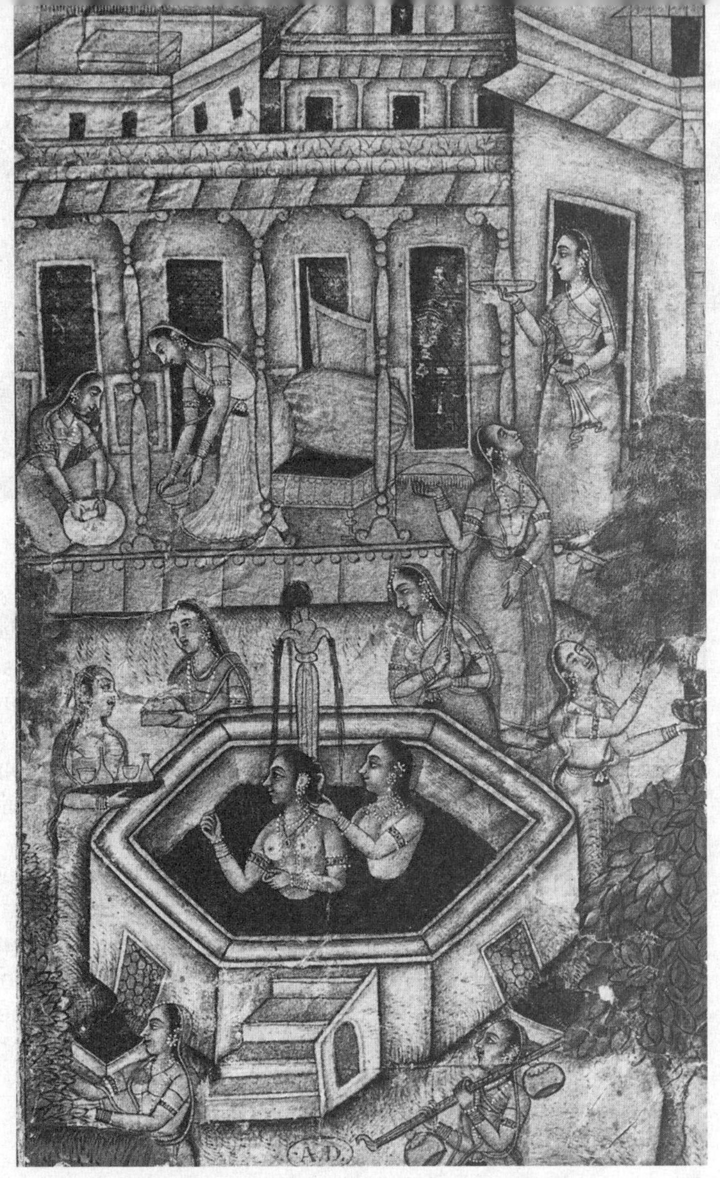

***Femmes au sérail*, miniature persane, XVIe siècle.**

Le roman du sérail

Usbek, libéral et tolérant, prend un autre visage à la fin du roman : ses idées généreuses entrent en contradiction avec sa manière d'exercer le pouvoir et le sort qu'il réserve à ses femmes ou à ses serviteurs. Les épouses sont maintenues jalousement dans l'univers carcéral du sérail et, bien loin de comprendre leur lassitude après une longue absence (plus de huit ans), Usbek ne pense qu'à les châtier et à les humilier pour des infidélités incertaines. Aux portes du harem, le jaloux remplace le philosophe, le libéral au grand cœur devient un tyran domestique : la raison cède le pas à la passion. L'intransigeance, bien loin de soumettre les sujets, ne fait souvent qu'attiser la rancœur et la rébellion : ce principe politique énoncé ailleurs par Usbek, sera vérifié à la fin du livre. La répression sauvage aboutira au drame : le sang de la révolte et de la résistance sera le dernier à couler.

Lettre 147
Le grand eunuque à Usbek, à Paris

Les choses sont venues à[1] un état qui ne se peut plus soutenir : tes femmes se sont imaginées que ton départ leur laissait une impunité entière ; il se passe ici des choses horribles. Je tremble moi-même au cruel récit que je vais te
5 faire.
Zélis, allant il y a quelques jours à la Mosquée, laissa tomber son voile et parut presque à visage découvert devant tout le peuple.
J'ai trouvé Zachi couchée avec une de ses esclaves : chose
10 si défendue par les lois du sérail.
J'ai surpris, par le plus grand hasard du monde, une lettre que je t'envoie ; je n'ai jamais pu découvrir à qui elle était adressée.
Hier au soir, un jeune garçon fut trouvé dans le jardin du
15 sérail, et il se sauva par-dessus les murailles.
Ajoute à cela ce qui n'est pas parvenu à ma connaissance : car sûrement tu es trahi. J'attends tes ordres, et jusques à l'heureux moment que je les recevrai, je vais être dans une situation mortelle. Mais, si tu ne mets toutes ces femmes à
20 ma discrétion[2], je ne te réponds d'aucune d'elles, et j'aurai tous les jours des nouvelles aussi tristes à te mander[3].

Du sérail d'Ispahan, le premier de la lune de Rhegeb, 1717.

notes

1. sont venues à : sont arrivées à.

2. à ma discrétion : en mon pouvoir.

3. mander : envoyer.

Lettre 148
Usbek au premier eunuque, au sérail d'Ispahan

Recevez par cette lettre un pouvoir sans bornes sur tout le sérail : commandez avec autant d'autorité que moi-même. Que la crainte et la terreur marchent avec vous ; courez d'appartements en appartements porter les punitions et les
5 châtiments. Que tout vive dans la consternation ; que tout fonde en larmes devant vous. Interrogez tout le sérail ; commencez par les esclaves. N'épargnez pas mon amour : que tout subisse votre tribunal redoutable. Mettez au jour les secrets les plus cachés. Purifiez ce lieu infâme, et faites-
10 y rentrer la vertu bannie : car, dès ce moment, je mets sur votre tête les moindres fautes qui se commettront. Je soupçonne Zélis d'être celle à qui la lettre que vous avez surprise s'adressait. Examinez cela avec des yeux de lynx.

*De ***, le 11 de la lune de Zilhagé, 1718.*

Lettre 149
Narsit à Usbek, à Paris

Le grand Eunuque vient de mourir, magnifique Seigneur. Comme je suis le plus vieux de tes esclaves, j'ai pris sa place jusques à ce que tu aies fait connaître sur qui tu veux jeter les yeux.
5 Deux jours après sa mort, on m'apporta une de tes lettres qui lui était adressée ; je me suis bien gardé de l'ouvrir : je l'ai enveloppée avec respect et l'ai serrée jusques à ce que tu m'aies fait connaître tes sacrées volontés.

Hier un esclave vint, au milieu de la nuit, me dire qu'il
10 avait trouvé un jeune homme dans le sérail. Je me levai, j'examinai la chose, et je trouvai que c'était une vision.
Je te baise les pieds, sublime Seigneur, et je te prie de compter sur mon zèle, mon expérience et ma vieillesse.

Du sérail d'Ispahan, le 5 de la lune de Gemmadi 1, 1718.

Lettre 150
Usbek à Narsit, au sérail d'Ispahan

Malheureux que vous êtes ! vous avez dans vos mains des lettres qui contiennent des ordres prompts et violents ; le moindre retardement peut me désespérer, et vous demeurez tranquille sous un vain prétexte !
5 Il se passe des choses horribles : j'ai peut-être la moitié de mes esclaves qui méritent la mort. Je vous envoie la lettre que le premier Eunuque m'écrivit là-dessus avant de mourir. Si vous aviez ouvert le paquet qui lui est adressé, [vous y auriez trouvé des ordres sanglants. Lisez-les donc, ces
10 ordres, et vous périrez si vous ne les exécutez pas].

*De***, le 25 de la lune de Chalval, 1718.*

Lettre 151
Solim à Usbek, à Paris

Si je gardais plus longtemps le silence, je serais aussi coupable que tous ces criminels que tu as dans le sérail.
J'étais le confident du grand Eunuque, le plus fidèle de tes esclaves. Lorsqu'il se vit près de sa fin, il me fit appeler et
5 me dit ces paroles : « Je me meurs ; mais le seul chagrin que

j'ai en quittant la vie, c'est que mes derniers regards ont trouvé les femmes de mon maître criminelles. Le Ciel puisse le garantir de tous les malheurs que je prévois ! Puisse, après ma mort, mon ombre menaçante venir avertir ces perfides de leur devoir et les intimider encore ! Voilà les clefs de ces redoutables lieux. Va les porter au plus vieux des noirs. Mais si, après ma mort, il manque de vigilance, songe à en avertir ton maître. » En achevant ces mots, il expira dans mes bras.

Je sais ce qu'il t'écrivit quelque temps avant sa mort, sur la conduite de tes femmes : il y a dans le sérail une lettre qui aurait porté la terreur avec elle, si elle avait été ouverte. Celle que tu as écrite depuis a été surprise à trois lieues d'ici. Je ne sais ce que c'est : tout se tourne malheureusement.

Cependant tes femmes ne gardent plus aucune retenue : depuis la mort du grand Eunuque, il semble que tout leur soit permis. La seule Roxane est restée dans le devoir et conserve de la modestie. On voit les mœurs se corrompre tous les jours. On ne trouve plus sur le visage de tes femmes cette vertu mâle et sévère qui y régnait autrefois : une joie nouvelle, répandue en ces lieux, est un témoignage infaillible, selon moi, de quelque satisfaction nouvelle ; dans les plus petites choses, je remarque des libertés jusqu'alors inconnues. Il règne même parmi tes esclaves une certaine indolence[1] pour leur devoir et pour l'observation des règles, qui me surprend : ils n'ont plus ce zèle ardent pour ton service qui semblait animer tout le sérail. Tes femmes ont été huit jours à la campagne, à une de tes maisons les plus abandonnées. On dit que l'esclave qui en

note

1. ***indolence* :** indifférence.

a soin a été gagné, et qu'un jour avant qu'elles arrivassent, il avait fait cacher deux hommes dans un réduit de pierre qui est dans la muraille de la principale chambre, d'où ils sortaient le soir lorsque nous étions retirés. Le vieux 40 eunuque qui est à présent à notre tête est un imbécile, à qui l'on fait croire tout ce qu'on veut.

Je suis agité d'une colère vengeresse contre tant de perfidies, et, si le Ciel voulait, pour le bien de ton service, que tu me jugeasses capable de gouverner, je te promets que, si 45 tes femmes n'étaient pas vertueuses, au moins elles seraient fidèles.

Du sérail d'Ispahan, le 6 de la lune de Rebiab 1, 1719.

Lettre 152
Narsit à Usbek, à Paris

Roxane et Zélis ont souhaité d'aller à la campagne ; je n'ai pas cru devoir le leur refuser. Heureux Usbek ! tu as des femmes fidèles et des esclaves vigilants : je commande en des lieux où la vertu semble s'être choisi un asile. Compte 5 qu'il ne s'y passera rien que tes yeux ne puissent soutenir.

Il est arrivé un malheur qui me met en grande peine. Quelques marchands arméniens, nouvellement arrivés à Ispahan, avaient apporté une de tes lettres pour moi ; j'ai envoyé un esclave pour la chercher ; il a été volé à son 10 retour, et la lettre est perdue. Écris-moi donc promptement : car je m'imagine que, dans ce changement, tu dois avoir des choses de conséquence à me mander.

Du sérail de Fatmé, le 6 de la lune de Rebiab 1, 1719.

Lettre 153
Usbek a Solim, au sérail d'Ispahan

Je te mets le fer à la main. Je te confie ce que j'ai à présent dans le monde de plus cher, qui est ma vengeance. Entre dans ce nouvel emploi ; mais n'y porte ni cœur ni pitié. J'écris à mes femmes de t'obéir aveuglément. Dans la confusion de tant de crimes, elles tomberont devant tes regards. Il faut que je te doive mon bonheur et mon repos. Rends-moi mon sérail comme je l'ai laissé ; mais commence par l'expier. Extermine les coupables, et fais trembler ceux qui se proposaient de le devenir. Que ne peux-tu pas espérer de ton maître pour des services si signalés ? Il ne tiendra qu'à toi de te mettre au-dessus de ta condition même et de toutes les récompenses que tu as jamais désirées.

De Paris, le 4 de la lune de Chahban, 1719.

Lettre 154
Usbek à ses femmes, au sérail d'Ispahan

Puisse cette lettre être comme la foudre qui tombe au milieu des éclairs et des tempêtes ! Solim est votre premier eunuque, non pas pour vous garder, mais pour vous punir. Que tout le sérail s'abaisse devant lui ! Il doit juger vos actions passées, et, pour l'avenir, il vous fera vivre sous un joug si rigoureux que vous regretterez votre liberté, si vous ne regrettez pas votre vertu.

De Paris, le 4 de la lune de Chahban, 1719.

Lettre 155
Usbek à Nessir, à Ispahan

Heureux celui qui, connaissant le prix d'une vie douce et tranquille, repose son cœur au milieu de sa famille et ne connaît d'autre terre que celle qui lui a donné le jour !
Je vis dans un climat barbare, présent à tout ce qui m'im-
5 portune, absent de tout ce qui m'intéresse. Une tristesse sombre me saisit ; je tombe dans un accablement affreux : il me semble que je m'anéantis, et je ne me retrouve moi-même que lorsqu'une sombre jalousie vient s'allumer et enfanter dans mon âme la crainte, les soupçons, la haine et
10 les regrets.
Tu me connais, Nessir : tu as toujours vu dans mon cœur comme dans le tien. Je te ferais pitié si tu savais mon état déplorable. J'attends quelquefois six mois entiers des nouvelles du sérail ; je compte tous les instants qui s'écoulent ;
15 mon impatience me les allonge toujours ; et, lorsque celui qui a été tant attendu est près d'arriver, il se fait dans mon cœur une révolution soudaine : ma main tremble d'ouvrir une lettre fatale. Cette inquiétude qui me désespérait, je la trouve l'état le plus heureux où je puisse être, et je crains
20 d'en sortir par un coup plus cruel pour moi que mille morts.
Mais, quelque raison que j'ai eue de sortir de ma patrie, quoique je doive ma vie à ma retraite, je ne puis plus, Nessir, rester dans cet affreux exil. Eh ! ne mourrais-je pas
25 tout de même en proie à mes chagrins ? J'ai pressé mille fois Rica de quitter cette terre étrangère ; mais il s'oppose à toutes mes résolutions : il m'attache[1] ici par mille pré-

note

1. m'attache : me retient.

textes ; il semble qu'il ait oublié sa patrie, ou plutôt il semble qu'il m'ait oublié moi-même, tant il est insensible
30 à mes déplaisirs.

Malheureux que je suis ! je souhaite de revoir ma patrie, peut-être pour devenir plus malheureux encore ! Eh ! qu'y ferai-je ? Je vais rapporter ma tête à mes ennemis. Ce n'est pas tout : j'entrerai dans le sérail ; il faut que j'y demande
35 compte du temps funeste de mon absence. Et si j'y trouve des coupables, que deviendrai-je ? Et si la seule idée m'accable de si loin, que sera-ce lorsque ma présence la rendra plus vive ? Que sera-ce s'il faut que je voie, s'il faut que j'entende ce que je n'ose imaginer sans frémir ? Que sera-
40 ce, enfin, s'il faut que des châtiments que je prononcerai moi-même soient des marques éternelles de ma confusion et de mon désespoir ?

J'irai m'enfermer dans des murs plus terribles pour moi que pour les femmes qui y sont gardées. J'y porterai tous
45 mes soupçons ; leurs empressements ne m'en déroberont rien ; dans mon lit, dans leurs bras, je ne jouirai que de mes inquiétudes ; dans un temps si peu propre aux réflexions, ma jalousie trouvera à en faire. Rebut indigne de la Nature humaine, esclaves vils dont le cœur a été fermé pour jamais
50 à tous les sentiments de l'amour, vous ne gémiriez plus sur votre condition si vous connaissiez le malheur de la mienne.

De Paris, le 4 de la lune de Chahban, 1719.

Lettre 156
Roxane à Usbek, à Paris

L'horreur, la nuit et l'épouvante règnent dans le sérail : un deuil affreux l'environne. Un tigre y exerce à chaque

instant toute sa rage : il a mis dans[1] les supplices deux eunuques blancs qui n'ont avoué que leur innocence ; il a
5 vendu une partie de nos esclaves et nous a obligées de changer entre nous celles qui nous restaient. Zachi et Zélis ont reçu dans leur chambre, dans l'obscurité de la nuit, un traitement indigne : le sacrilège n'a pas craint de porter sur elles ses viles mains. Il nous tient enfermées chacune dans
10 notre appartement, et quoique nous y soyons seules, il nous fait vivre sous le voile. Il ne nous est plus permis de nous parler ; ce serait un crime de nous écrire ; nous n'avons plus rien de libre que les pleurs.

Une troupe de nouveaux eunuques est entrée dans le
15 sérail, où ils nous assiègent nuit et jour : notre sommeil est sans cesse interrompu par leurs méfiances feintes ou véritables. Ce qui me console, c'est que tout ceci ne durera pas longtemps, et que ces peines finiront avec ma vie. Elle ne sera pas longue, cruel Usbek ! je ne te donnerai pas le
20 temps de faire cesser tous ces outrages.

Du sérail d'Ispahan, le 2 de la lune de Maharram, 1720.

Lettre 157
Zachi à Usbek, à Paris

Ô Ciel ! un barbare m'a outragée jusque dans la manière de me punir. Il m'a infligé ce châtiment qui commence par alarmer la pudeur ; ce châtiment qui met dans l'humiliation extrême ; ce châtiment qui ramène, pour ainsi dire, à
5 l'enfance.

Mon âme, d'abord anéantie sous la honte, reprenait le

note

1. mis dans : provoqué.

sentiment d'elle-même et commençait à s'indigner, lorsque mes cris firent retentir les voûtes de mes appartements. On m'entendit demander grâce au plus vil de 10 tous les humains et tenter sa pitié à mesure qu'il était plus inexorable.

Depuis ce temps, son âme insolente et servile s'est élevée sur la mienne. Sa présence, ses regards, ses paroles, tous les malheurs viennent m'accabler. Quand je suis seule, j'ai du 15 moins la consolation de verser des larmes ; mais, lorsqu'il s'offre à ma vue, la fureur me saisit, je la trouve impuissante, et je tombe dans le désespoir.

Le tigre ose me dire que tu es l'auteur de toutes ces barbaries. Il voudrait m'ôter mon amour et profaner jusqu'aux 20 sentiments de mon cœur. Quand il me prononce le nom de celui que j'aime, je ne sais plus me plaindre, et je ne puis plus que mourir.

J'ai soutenu ton absence, et j'ai conservé mon amour par la force de mon amour. Les nuits, les jours, les moments, tout 25 a été pour toi. J'étais superbe de mon amour même, et le tien me faisait respecter ici. Mais, à présent… Non ; je ne puis plus soutenir l'humiliation où je suis descendue. Si je suis innocente, reviens pour m'aimer. Reviens, si je suis coupable, pour que j'expire à tes pieds.

Du sérail d'Ispahan, le 2 de la lune de Maharram, 1720.

Lettre 158

Zélis à Usbek, à Paris

À mille lieues de moi, vous me jugez coupable ; à mille lieues de moi, vous me punissez.

Qu'un eunuque barbare porte sur moi ses viles mains, il

agit par votre ordre. C'est le tyran qui m'outrage, et non
5 pas celui qui exerce la tyrannie.
Vous pouvez, à votre fantaisie, redoubler vos mauvais traitements. Mon cœur est tranquille depuis qu'il ne peut plus vous aimer.
Votre âme se dégrade, et vous devenez cruel. Soyez sûr que
10 vous n'êtes point heureux.
Adieu.

Du sérail d'Ispahan, le 2 de la lune de Maharram, 1720.

Lettre 159
Solim à Usbek, à Paris

Je me plains, magnifique Seigneur, et je te plains : jamais serviteur fidèle n'est descendu dans l'affreux désespoir où je suis. Voici tes malheurs et les miens. Je ne t'en écris qu'en tremblant.
5 Je jure, par tous les prophètes du Ciel, que, depuis que tu m'as confié tes femmes, j'ai veillé nuit et jour sur elles ; que je n'ai jamais suspendu un moment le cours de mes inquiétudes. J'ai commencé mon ministère[1] par les châtiments, et je les ai suspendus sans sortir de mon austérité
10 naturelle.
Mais que te dis-je ? Pourquoi te vanter ici une fidélité qui t'a été inutile ? Oublie tous mes services passés ; regarde-moi comme un traître ; et punis-moi de tous les crimes que je n'ai pas pu empêcher.

note

1. *ministère* : emploi, fonction.

15 Roxane, la superbe[1] Roxane ! Ô Ciel ! à qui se fier désormais ? Tu soupçonnais Zélis, et tu avais pour Roxane une sécurité entière. Mais sa vertu farouche était une cruelle imposture : c'était le voile de sa perfidie. Je l'ai surprise dans les bras d'un jeune homme, qui, dès qu'il s'est vu
20 découvert, est venu sur moi. Il m'a donné deux coups de poignard. Les eunuques, accourus au bruit, l'ont entouré. Il s'est défendu longtemps, en a blessé plusieurs ; il voulait même rentrer dans la chambre, pour mourir, disait-il, aux yeux de Roxane. Mais enfin, il a cédé au nombre, et il est
25 tombé à nos pieds.

Je ne sais si j'attendrai, sublime Seigneur, tes ordres sévères : tu as mis ta vengeance en mes mains ; je ne dois pas la faire languir.

Du sérail d'Ispahan, le 8 de la lune de Rebiab 1, 1720.

Lettre 160
Solim à Usbek, à Paris

J'ai pris mon parti : [tous les malheurs vont disparaître ; je vais punir.

Je sens déjà une joie secrète ; mon âme et la tienne vont s'apaiser : nous allons exterminer le crime, et l'innocence
5 va pâlir.]

Ô vous, qui semblez n'être faites que pour ignorer tous vos

note

1. superbe : fière.

sens et être indignées de vos désirs mêmes, éternelles victimes de la honte et de la pudeur, que ne puis-je vous faire entrer à grands flots dans ce sérail malheureux, pour vous
10 voir étonnées de tout le sang que j'y vais répandre !

Du sérail d'Ispahan, le 8 de la lune de Rebiab 1, 1720.

Lettre 161
Roxane à Usbek, à Paris

Oui, je t'ai trompé ; j'ai séduit tes eunuques, je me suis jouée[1] de ta jalousie, et j'ai su, de ton affreux sérail, faire un lieu de délices et de plaisirs.

Je vais mourir : le poison va couler dans mes veines. Car
5 que ferais-je ici, puisque le seul homme qui me retenait à la vie n'est plus ? Je meurs ; mais mon ombre s'envole bien accompagnée ; je viens d'envoyer devant moi ces gardiens sacrilèges qui ont répandu le plus beau sang du Monde.

Comment as-tu pensé que je fusse assez crédule pour
10 m'imaginer que je ne fusse dans le Monde que pour adorer tes caprices ? que, pendant que tu te permets tout, tu eusses le droit d'affliger tous mes désirs ? Non ! J'ai pu vivre dans la servitude, mais j'ai toujours été libre : j'ai réformé tes lois sur celles de la Nature, et mon esprit s'est
15 toujours tenu dans l'indépendance.

Tu devrais me rendre grâces encore du sacrifice que je t'ai fait : de ce que je me suis abaissée jusqu'à te paraître fidèle ;

note

1. je me suis jouée de :
je me suis moquée de.

de ce que j'ai lâchement gardé dans mon cœur ce que j'aurais dû faire paraître à toute la Terre ; enfin, de ce que j'ai
20 profané la vertu, en souffrant qu'on appelât de ce nom ma soumission à tes fantaisies.

Tu étais étonné de ne point trouver en moi les transports de l'amour. Si tu m'avais bien connue, tu y aurais trouvé toute la violence de la haine.

25 Mais tu as eu longtemps l'avantage de croire qu'un cœur comme le mien t'était soumis. Nous étions tous deux heureux : tu me croyais trompée, et je te trompais.

Ce langage, sans doute, te paraît nouveau. Serait-il possible qu'après t'avoir accablé de douleurs, je te forçasse encore
30 d'admirer mon courage ? Mais c'en est fait : le poison me consume ; ma force m'abandonne ; la plume me tombe des mains ; je sens affaiblir jusqu'à ma haine ; je me meurs.

Du sérail d'Ispahan, le 8 de la lune de Rebiab 1, 1720.

***La mort de Sardanapale* (1827), Eugène Delacroix (1798-1863), Paris, Musée du Louvre.**

Au fil du texte

Questions sur « Le roman du sérail » (lettres 147 à 161, pp. 101 à 114)

Avez-vous bien lu ?

1. Quelles sont les trois femmes d'Usbek dont il est question dans ces pages ?

2. Quels personnages meurent au cours de cette correspondance ?

3. Qui avertit Usbek des désordres du sérail ?

épistolier : rédacteur d'une lettre.

expéditeur : celui qui envoie la lettre.

destinataire : celui à qui on s'adresse.

4. Que doit faire le premier eunuque pour rétablir l'ordre au sérail ?

5. Qui qualifie le vieil eunuque d'*« imbécile »* ? Que lui reproche-t-il ?

6. À qui Usbek décide-t-il de confier sa vengeance ?

7. Pour quelle raison Usbek s'est-il exilé ? Qui nous l'apprend ici ?

8. Usbek et Rica sont-ils dans la même position et le même état d'esprit ?

9. Qui est le dernier épistolier* du livre ?

10. Que reproche Roxane à Usbek ?

Étudier le discours

11. Faites le tableau des expéditeurs* et des destinataires* des lettres dans cette partie.

12. Comptez les lettres de cette partie puis dites combien d'entre elles sont rédigées par des femmes et quels sont les personnages qui envoient le plus de lettres.

13. Quelle est la dernière lettre rédigée par Usbek ? Malgré sa volonté d'exercer un contrôle absolu, est-il réduit à une certaine impuissance ?

14. Citez quelques passages où Usbek menace ses destinataires. Le ton est-il péremptoire* ? Usbek, après plusieurs années passées à Paris, a-t-il radicalement changé selon vous ?

15. Dans quelle lettre le discours d'Usbek est-il nostalgique ? Relevez deux expressions* qui le montrent.

péremptoire : **autoritaire, tranchant.**

expression : **propos concis, formule frappante.**

ÉTUDIER UN THÈME : LE SÉRAIL

16. De quand sont datées les différentes lettres ? Depuis combien de temps Usbek est-il absent du sérail ? Cette précision a-t-elle une importance pour comprendre l'évolution du sérail ?

17. Usbek donne à ses serviteurs des pouvoirs absolus : relevez quelques formules montrant que ce pouvoir autorise la violence.

18. Est-ce, selon vous, la tyrannie qui a engendré le désordre dans le sérail ? Quelles autres raisons peut-on avancer pour l'expliquer ?

19. Quelles désillusions la dernière lettre de Roxane apporte-t-elle à Usbek ?

20. Pourquoi cette lettre peut-elle aussi constituer une surprise pour le lecteur ? Peut-on la considérer comme une réponse à la lettre 26 (p. 88) ?

Étudier le vocabulaire et la grammaire

21. Relevez trois mots qui, dans la lettre 148, pourraient être employés par un inquisiteur. Qui les emploie ici ?

22. Que signifie l'expression *« des yeux de lynx »* (lettre 148, l. 13) ? Citez quatre autres expressions construites avec le mot œil.

23. Employez le mot *« zèle »* (lettre 149, l. 13) dans une phrase de votre choix. Puis donnez un autre mot formé sur le même radical*.

radical : élément minimal qui forme le noyau du mot.

24. Quelles sont les deux manières principales d'exprimer grammaticalement l'ordre et l'indignation dans la lettre 148 ? Donnez-en des exemples précis.

25. Dans quelle lettre d'Usbek trouve-t-on de nombreuses phrases interrogatives ? Que traduisent-elles ?

26. Relevez les subordonnées de la lettre 149 et donnez leur nature.

Étudier l'écriture

27. Étudiez la chronologie des lettres dans cette partie. Quelles remarques peut-on faire ?

28. Montesquieu a ajouté en 1754 les lettres 157, 158 et 160. Qu'apportent-elles au dénouement ?

29. Après avoir défini le mot pastiche, vous lirez la dernière lettre à la lumière de cette définition. Quels sont les passages qui pourraient pasticher une tragédie ?

30. Relevez une métaphore* et une comparaison* dans la lettre 154.

ÉTUDIER LE GENRE : LE ROMAN ÉPISTOLAIRE

31. Est-il encore question des mœurs occidentales et de leur satire* dans ces lettres ?

32. Quelles sont les obstacles à la correspondance au XVIIIe siècle ? Illustrez votre réponse avec des passages empruntés aux lettres citées.

33. Quel est le dernier mot du texte ? Peut-on dire que le roman est gagné par une tonalité tragique dans ces pages ?

métaphore : **rapprochement implicite entre deux réalités.**

comparaison : **rapprochement explicite entre deux réalités.**

satire : **discours qui se moque d'une personne ou d'une réalité particulière.**

À VOS PLUMES !

34. Imaginez qu'Usbek retourne au sérail, tel Ulysse retrouvant Ithaque, et exerce sa vengeance.

35. Imaginez la réaction d'Usbek découvrant la lettre de Roxane.

36. Vous êtes avocat(e). Vous avez à défendre Zélis qu'Usbek veut condamner à mort. Quels arguments emploierez-vous ?

LIRE L'IMAGE

Voir document p. 115.

37. Cherchez au CDI une reproduction en couleur de ce tableau et analysez l'utilisation des couleurs.

38. Préparez un exposé sur ce tableau ou sur Delacroix.

Les deux préfaces

À une époque où il fallait obtenir une autorisation officielle pour publier un livre, Montesquieu préféra éditer ses *Lettres persanes* à Amsterdam, sous couvert d'un anonymat protecteur. En ce début de XVIIIe siècle, les attaques visant la religion catholique étaient la principale source d'ennuis pour les auteurs indélicats. L'État, qui faisait respecter la religion officielle, était prompt à censurer tout soupçon de blasphème. Prudent, Montesquieu préféra éviter la confrontation et utiliser des moyens illicites assez courants à l'époque. Dans la préface de 1721, date de la première édition, il conserve le masque. Il ne donne pas son nom et affirme de plus n'être qu'un éditeur-traducteur de lettres attribuées à deux amis persans. Quelques décennies plus tard, en 1754, il écrira un nouveau texte pour répondre aux attaques précises d'un religieux (l'abbé Gaultier) qui accuse les *Lettres persanes* d'impiété. Entre temps, Montesquieu est devenu académicien français, il est une personnalité reconnue du monde littéraire. Le roman a obtenu un grand succès (dès 1721) et plus personne n'ignore qui en est l'auteur !

Préface[1]

Je ne fais point ici d'Épître dédicatoire, et je ne demande point de protection pour ce livre : on le lira, s'il est bon ; et, s'il est mauvais, je ne me soucie pas qu'on le lise.

J'ai détaché ces premières lettres pour essayer le goût du public ; j'en ai un grand nombre d'autres dans mon portefeuille[2], que je pourrai lui donner dans la suite.

Mais c'est à condition que je ne serai pas connu : car si l'on vient à savoir mon nom, dès ce moment je me tais. Je connais une femme qui marche assez bien, mais qui boite dès qu'on la regarde. C'est assez des défauts de l'ouvrage sans que je présente encore à la critique ceux de ma personne. Si l'on savait qui je suis, on dirait : « Son livre jure avec son caractère ; il devrait employer son temps à quelque chose de mieux : cela n'est pas digne d'un homme grave. » Les critiques ne manquent jamais ces sortes de réflexions, parce qu'on les peut faire sans essayer[3] beaucoup son esprit.

Les Persans qui écrivent ici étaient logés avec moi ; nous passions notre vie ensemble. Comme ils me regardaient comme un homme d'un autre monde, ils ne me cachaient rien. En effet, des gens transplantés de si loin ne pouvaient plus avoir de secrets. Ils me communiquaient la plupart de leurs lettres ; je les copiai. J'en surpris même quelques-unes dont ils se seraient bien gardés de me faire confidence, tant elles étaient mortifiantes[4] pour la vanité et la jalousie.

Je ne fais donc que l'office de traducteur : toute ma peine a été de mettre[5] l'ouvrage à nos mœurs. J'ai soulagé le

notes

1. Texte de 1721.

2. ***portefeuille :*** carton double pliant servant à conserver des papiers.

3. ***essayer :*** éprouver.

4. ***mortifiantes :*** blessantes.

5. ***mettre :*** adapter.

lecteur du langage asiatique autant que je l'ai pu, et l'ai sauvé d'une infinité d'expressions sublimes, qui l'auraient
30 envoyé jusque dans les nues[1].

Mais ce n'est pas tout ce que j'ai fait pour lui. J'ai retranché les longs compliments, dont les Orientaux ne sont pas moins prodigues que nous, et j'ai passé un nombre infini de ces minuties[2] qui ont tant de peine à soutenir le grand
35 jour, et qui doivent toujours mourir entre deux amis.

Si la plupart de ceux qui nous ont donné des recueils de lettres avaient fait de même, ils auraient vu leurs ouvrages s'évanouir.

Il y a une chose qui m'a souvent étonné : c'est de voir ces
40 Persans quelquefois aussi instruits que moi-même des mœurs et des manières de la Nation, jusqu'à en connaître les plus fines circonstances, et à remarquer des choses qui, je suis sûr, ont échappé à bien des Allemands qui ont voyagé en France. J'attribue cela au long séjour qu'ils y ont
45 fait ; sans compter qu'il est plus facile à un Asiatique de s'instruire des mœurs des Français dans un an, qu'il ne l'est à un Français de s'instruire des mœurs des Asiatiques dans quatre, parce que les uns se livrent autant que les autres se communiquent[3] peu.

50 L'usage a permis à tout traducteur, et même au plus barbare commentateur, d'orner la tête de sa version, ou de sa glose[4], du panégyrique[5] de l'original, et d'en relever l'utilité, le mérite et l'excellence. Je ne l'ai point fait ; on en devinera facilement les raisons. Une des meilleures est que
55 ce serait une chose très ennuyeuse, placée dans un lieu déjà très ennuyeux de lui-même : je veux dire une Préface.

notes

1. nues : nuages.
2. minuties : détails sans importance.
3. se communiquent : se confient.
4. glose : commentaire.
5. panégyrique : éloge.

Quelques réflexions sur les Lettres persanes[1]

Rien n'a plu davantage, dans les *Lettres persanes,* que d'y trouver, sans y penser, une espèce de roman. On en voit le commencement, le progrès, la fin. Les divers personnages sont placés dans une chaîne qui les lie. À mesure qu'ils font 5 un plus long séjour en Europe, les mœurs de cette partie du Monde prennent dans leur tête un air moins merveilleux et moins bizarre, et ils sont plus ou moins frappés de ce bizarre et de ce merveilleux, suivant la différence de leurs caractères. D'un autre côté, le désordre croît dans le 10 sérail d'Asie à proportion de la longueur de l'absence d'Usbek, c'est-à-dire à mesure que la fureur augmente, et que l'amour diminue.

D'ailleurs, ces sortes de romans réussissent ordinairement, parce que l'on rend compte soi-même de sa situation 15 actuelle ; ce qui fait plus sentir les passions que tous les récits qu'on en pourrait faire. Et c'est une des causes du succès de quelques ouvrages charmants qui ont paru depuis les *Lettres persanes.*

Enfin, dans les romans ordinaires, les digressions ne peu- 20 vent être permises que lorsqu'elles forment elles-mêmes un nouveau roman. On n'y saurait mêler de raisonnements, parce qu'aucun des personnages n'y ayant été assemblé pour raisonner, cela choquerait le dessein et la nature de l'ouvrage. Mais dans la forme de lettres, où les 25 acteurs ne sont pas choisis, et où les sujets qu'on traite ne sont dépendants d'aucun dessein ou d'aucun plan déjà formé, l'auteur s'est donné l'avantage de pouvoir joindre

note

1. Texte de 1754.

de la philosophie, de la politique et de la morale à un roman, et de lier le tout par une chaîne secrète et, en
30 quelque façon, inconnue.

Les *Lettres persanes* eurent d'abord un débit si prodigieux que les libraires mirent tout en usage pour en avoir des suites. Ils allaient tirer par la manche tous ceux qu'ils rencontraient : « Monsieur, disaient-ils, je vous prie, faites-moi
35 des *Lettres persanes*. »

Mais ce que je viens de dire suffit pour faire voir qu'elles ne sont susceptibles d'aucune suite, encore moins d'aucun mélange avec des lettres écrites d'une autre main, quelque ingénieuses qu'elles puissent être.

40 Il y a quelques traits que bien des gens ont trouvés trop hardis ; mais ils sont priés de faire attention à la nature de cet ouvrage. Les Persans qui devaient y jouer un si grand rôle se trouvaient tout à coup transplantés en Europe, c'est-à-dire dans un autre univers. Il y avait un temps où il fal-
45 lait nécessairement les représenter pleins d'ignorance et de préjugés : on n'était attentif qu'à faire voir la génération et le progrès de leurs idées. Leurs premières pensées devaient être singulières : il semblait qu'on n'avait rien à faire qu'à leur donner l'espèce de singularité qui peut compatir avec[1]
50 de l'esprit ; on n'avait à peindre que le sentiment qu'ils avaient eu à chaque chose qui leur avait paru extraordinaire. Bien loin qu'on pensât à intéresser[2] quelque principe de notre religion, on ne se soupçonnait pas même d'imprudence. Ces traits se trouvent toujours liés avec le senti-
55 ment de surprise et d'étonnement, et point avec l'idée

notes

1. compatir avec : s'accorder avec. ***2. intéresser :*** impliquer.

d'examen, et encore moins avec celle de critique. En parlant de notre religion, ces Persans ne devaient pas paraître plus instruits que lorsqu'ils parlaient de nos coutumes et de nos usages ; et, s'ils trouvent quelquefois nos
60 dogmes singuliers, cette singularité est toujours marquée au coin de la parfaite ignorance des liaisons qu'il y a entre ces dogmes et nos autres vérités.

On fait cette justification par amour pour ces grandes vérités, indépendamment du respect pour le Genre humain,
65 que l'on n'a pas certainement voulu frapper par l'endroit le plus tendre. On prie donc le lecteur de ne pas cesser un moment de regarder les traits dont je parle comme des effets de la surprise de gens qui devaient en avoir, ou comme des paradoxes faits par des hommes qui n'étaient
70 pas même en état d'en faire. Il est prié de faire attention que tout l'agrément consistait dans le contraste éternel entre les choses réelles et la manière singulière, neuve ou bizarre, dont elles étaient aperçues. Certainement la nature et le dessein des *Lettres persanes* sont si à découvert qu'elles
75 ne tromperont jamais que ceux qui voudront se tromper eux-mêmes.

Au fil du texte

Questions sur « Les deux préfaces » (pp. 121 à 125)

Avez-vous bien lu ?

1. Pour quelle raison explicite l'auteur de la « Préface » de 1721 souhaite-t-il garder l'anonymat ?

2. À quelle époque et sous quel régime le livre de Montesquieu fut-il rédigé ?

3. Pour quelle raison l'auteur de la préface déclare-t-il avoir *« récupéré »* les *Lettres persanes* ?

4. L'auteur se présente comme un traducteur : a-t-il simplement traduit ou affirme-t-il avoir modifié les lettres qu'il publie ?

5. À quel peuple européen compare-t-il les Persans ?

6. Pourquoi est-il plus facile pour un Asiatique de connaître les mœurs françaises en une année que pour un Français de connaître les mœurs asiatiques en trois ?

7. Qui est roi en 1754 ?

8. Quelle est la première raison, selon l'auteur, du succès des *Lettres persanes* ? (Réflexions de 1754)

9. Que firent les libraires pour profiter du succès des *Lettres persanes* ?

10. Montesquieu semble répondre à des critiques ou à des réactions que suscita son livre. Par qui furent-elles formulées ?

Étudier le discours

11. L'auteur de la « Préface » se présente-t-il ? Qu'apprend-on sur lui ?

12. Sous quelle forme grammaticale est-il présent ? Cette forme suffit-elle à l'identifier ?

13. L'auteur de la « Préface » prend en compte le lecteur : donnez-en deux exemples.

14. Pour quelles autres raisons que celles présentées dans la « Préface », Montesquieu ne donne-t-il pas, selon vous, son véritable nom ?

15. Lequel des deux textes présents vous semble argumentatif*, polémique* ?

ÉTUDIER UN THÈME : LE ROMANESQUE

16. Dans la « Préface », Montesquieu présente-t-il les *Lettres persanes* comme un livre de fiction ou comme un recueil de lettres réelles ? Comment s'y prend-il pour tenter de convaincre le lecteur ?

17. Est-ce la même stratégie dans le second texte ? Qu'est ce qui a changé entre les deux textes ?

18. Selon les « Réflexions » de 1754, le livre de Montesquieu est-il un roman ?

ÉTUDIER LE VOCABULAIRE ET LA GRAMMAIRE

19. Donnez l'étymologie* de *« épître »*, un mot de la même famille* et le sens de l'expression *« épître dédicatoire »* (« Préface », l. 1).

20. Qu'est ce qu'une digression ? Donnez trois autres mots construits sur le même radical* mais contenant un préfixe* différent.

21. Cherchez la signification du mot panégyrique après avoir donné son étymologie*. Donnez-lui deux synonymes* et deux antonymes*.

22. Notez trois mots présents dans chacun des deux textes qui comportent un préfixe* négatif.

argumentatif : qui soutient une thèse.

polémique : critique.

étymologie : l'origine du mot.

famille de mots : série de mots formés à partir du même radical.

radical : élément minimal qui forme le noyau du mot.

préfixe : élément qui précède le radical d'un mot.

synonyme : mot de signification très proche ou identique.

antonyme : mot de signification opposée.

23. Relevez quatre tournures* différentes qui introduisent une cause dans la « Préface » de 1721.
24. Relevez des subordonnées de condition introduites par « si » dans la « Préface » de 1721. Repérez trois temps différents utilisés dans ces subordonnées puis mettez-le en relation avec le temps de la principale.

ÉTUDIER L'ÉCRITURE

25. Comment Montesquieu se défend-il des reproches d'impiété dans ses « Réflexions » de 1754 ?

tournure : **expression, groupe de mots.**

frontispice : **première page d'un livre.**

ÉTUDIER L'ORTHOGRAPHE

26. Relevez les participes passés (avec auxiliaire) qui prennent un « s » dans la préface de 1721 et expliquez les accords.

À VOS PLUMES !

27. Écrivez un article critique qui présentera votre point de vue sur les *Lettres persanes* (les extraits que vous aurez lus).
28. Faites un tableau en notant tous les arguments favorables et défavorables au livre. Vous pourrez ensuite faire le bilan, oralement, avec la classe.
29. Écrivez la préface d'un roman que vous avez lu, en vous mettant à la place du lecteur.

LIRE L'IMAGE

Voir document p. 129.

30. Quelles sont les informations présentes sur ce frontispice* ? Quelle indication importante manque ?
31. Auriez-vous envie d'acheter, aujourd'hui, un livre présenté de cette façon ? Pourquoi ?

LETTRES
PERSANES.
TOME I.

A AMSTERDAM,
Chez PIERRE BRUNEL,
sur le Dam.

M. DCC XXI.

***Lettres persanes*,**
frontispice de l'édition de 1721.

Retour sur l'œuvre

QUI EST-CE ?

Rendez ses propos à chacun de ces onze personnages : l'alchimiste, le Pape, un galant philosophe, Mirza, Nadir, Narsit, Roxane, Solim, Usbek, Zachi.

1. Pour Usbek, je suis une vieille idole qu'on encense par habitude ! Le mécréant ! Je serais aussi, pour son compère Rica, un « *magicien* ». Tout cela parce que je crois en La Trinité et que je transforme pain et vin en corps et sang du Christ ! Peu m'importent ces jugements sommaires… ils ne m'empêcheront pas de faire des bulles dans mes palais dorés !

2. Mon ami Usbek me manque : c'était l'âme de notre Société à Ispahan. Pour lui les hommes étaient nés pour être vertueux. Quand je repense à ses sages propos, les discours des religieux musulmans me semblent bien peu convaincants ! Mais c'est peut-être parce mes pensées sont celles d'un homme et d'un citoyen avant d'être celles d'un croyant.

3. Usbek me menace parce qu'on m'a retrouvée en compagnie d'un eunuque blanc ! Et lui ? Avec qui passe-t-il ses journées et ses nuits ? Je suis enfermée depuis des mois sans savoir quand il reviendra ! Pas un mot d'explication ! Des menaces et des accusations ! Des mots d'amour ? Pensez-vous : il en est bien incapable !

4. Ah ! Elles ne connaissent pas leur bonheur, mes femmes ! Enfermées *ad vitam eternam* avec des serviteurs zélés dans la douce retraite du sérail, ce merveilleux refuge pour leur faiblesse, temple sublime et inviolable de mes amours passées ! En attendant, ce que me dévoilent les femmes occidentales me révolte et… me ravit !

5. Magnifique Seigneur ! Tu peux compter sur mon entier dévouement et mon âge avancé pour mettre de l'ordre en ton absence. Je veillerai sur le sérail, maître vénéré. Mais ne t'inquiète pas ! La vertu semble s'être choisi un asile et l'harmonie règne sans partage sur les lieux sacrés que tu retrouveras aussi purs, aussi tendres et hospitaliers qu'avant ton exil.

6. Ma tête est mise à prix ! Ah ! La condition d'eunuque blanc n'est pas toujours facile ! On me tient à l'écart du harem ! Je me contente des portes du sérail ! Et elles sont bien souvent fermées ! Heureusement, Zachi, m'a pris en amitié ! Et sa tendresse me console quelque peu de ma misère ! Bien sûr, elle ne sera jamais autre chose qu'une amie ! C'est déjà risqué en ces lieux où la délation règne…

7. Gloire à moi ! Le jour est venu ! J'ai enfin percé le mystère séculaire ! Me voici l'homme le plus riche de la Terre. Voilà 25 ans que je travaillais à mon œuvre ! Juste récompense du Ciel ! Vite ! Courons chez mon ami Rica ! Il m'accompagnera pour mes premières emplettes !

8. L'empire que nous avons sur les femmes, est une véritable tyrannie. La preuve de notre incurable vanité masculine. Elles nous ont laissé montrer nos muscles et jouer les dominateurs parce qu'elles sont plus lucides, plus douces et plus humaines que nous.

9. Imaginais-tu, misérable, que, pendant que tu courais le monde depuis de longues années, pendant que tes regards s'alanguissaient sur des femmes dont les charmes te remuaient, je n'en doute, les sangs, imaginais-tu, cruel Usbek, que j'allais attendre impassible et docile un retour que tu désespérais depuis des mois, des années ? Non ! J'ai vécu pendant ces années des passions dont tu ne peux soupçonner l'intensité : les portes closes de ton inflexible prison se sont entrouvertes sur un amour fou. La mort est aujourd'hui préférable à l'esclavage que tu veux nous imposer ! Adieu.

10. Je serai le tigre qui déchaînera la vengeance, la fureur outragée de mon maître Usbek. Toutes les femmes ont en elles ce genre de perfidie qui nourrit les mensonges et les trahisons. Je vais exterminer le crime, extirper ses racines, plonger tous ces êtres de chair et de volupté coupable dans un bain de sang qui purifiera définitivement le sérail d'Usbek.

UN VOCABULAIRE PARFOIS EXOTIQUE !

11. Reliez chaque mot à sa définition.

a. sérail – **b.** ramadan – **c.** derviche – **d.** polygame -
e. mortification – **f.** caravansérail – **g.** brahmane –
h. shah – **i.** eunuque – **j.** harem – **k.** moufti – **l.** toman.

1. Théoricien du droit coranique musulman.
2. Religieux musulman appartenant à une confrérie.
3. Mois de jeûne et d'abstinence, du lever au coucher du soleil, pour les musulmans. **4.** Souverain de la Perse ou de la Turquie. **5.** Membre de la caste sacerdotale, la première des grandes castes traditionnelles en Inde.
6. Homme castré qui gardait les femmes dans un sérail.
7. Souffrance que l'on s'impose en vue de racheter ses fautes. **8.** Être (homme ou femme) qui est marié à plusieurs personnes. **9.** Cour et bâtiments pour héberger voyageurs et nomades. **10.** Monnaie de Perse. **11.** Palais du sultan dans l'Empire Ottoman. **12.** Appartement des femmes dans un sérail.

QUESTIONS D'HISTOIRE : VRAI OU FAUX ?

12. Les affirmations suivantes sont-elles vraies ou fausses ?

	V	F
a. L'échange épistolaire commence en 1711, alors que Louis XIV est encore un jeune monarque plein de fougue et de projets.	☐	☐
b. La bulle Unigenitus fut publiée en 1713.	☐	☐
c. La bulle Unigenitus condamnait 101 propositions du janséniste Pasquier Quesnel.	☐	☐
d. Nicolas Flamel et Raymond Lulle sont de célèbres botanistes.	☐	☐
e. Louis XIV meurt en 1715.	☐	☐
f. Le prince héritier, Louis XV, a alors 17 ans mais il doit attendre sa majorité fixée à 21 ans pour régner.	☐	☐
g. La période qui succède au règne de Louis XIV s'appelle la Régence.	☐	☐

Dossier
Bibliocollège

Schéma narratif

Partie	Nombre de lettres et durée	Épistoliers
Le voyage d'Ispahan à Paris	• Le voyage, raconté dans 23 lettres dure 414 jours (du 19 mars 1711 au 4 mai 1712). Partis d'Ispahan, les Persans traversent l'empire Ottoman, rejoignent Livourne en Italie puis Marseille, Lyon et Paris. • Le mythe des Troglodytes forme une parenthèse philosophique dans ce voyage.	• 14 des 23 premières lettres sont écrites par Usbek (aucune par Rica). Les autres correspondants, des amis, des femmes laissées au harem ou encore un religieux musulman, écrivent d'Ispahan. • 4 lettres (citées intégralement) écrites par Usbek.
Le séjour à Paris	On peut séparer le séjour parisien en deux ensembles. • **Le règne de Louis XIV :** la première étape de ce séjour est la lettre 24 (première de Rica), datée de juin 1712. 69 lettres couvrent la période qui va jusqu'à la mort de Louis XIV, le 1er septembre 1715 (relatée dans la lettre 92). Cette partie est consacrée principalement à la satire et la critique de la société parisienne, des mœurs et des institutions françaises. • **La Régence :** 54 lettres (de la 93e à la 146e) couvrent cette partie qui dure plus de cinq ans et s'achève en novembre 1720, avec la faillite du système économique de John Law. Les lettres sont souvent plus longues et plus philosophiques.	• L'épistolier principal demeure Usbek avec 31 lettres, 24 pour Rica, tandis que les divers correspondants en signent 14. • Usbek rédige 28 lettres, Rica 22 (la lettre 143 est sa dernière lettre). Les autres épistoliers sont rares dans cette partie : le premier eunuque envoie une lettre tandis que Rhédi en adresse 3 à son ami Usbek.
La tragédie du sérail	Amorcée par la lettre 147 du Grand Eunuque à Usbek, cette dernière partie comporte 15 lettres. Elle chevauche chronologiquement la seconde partie car les lettres courent du 1er septembre 1717 à mai 1720. Le livre s'achève sur une tonalité tragique avec le suicide de Roxane, une des épouses d'Usbek restée au sérail d'Ispahan.	Usbek rédige seulement 5 lettres tandis que les épistoliers du sérail en signent 10. Les 6 dernières lettres du livre ne sont pas rédigées par Usbek.

Il était une fois Montesquieu

Une famille privilégiée, cultivée et tolérante

Héritier du fief de Montesquieu (érigé en baronnie par Henri IV) et d'une lignée qui s'est d'abord illustrée par les armes avant de s'intéresser aux fonctions juridiques et aux emplois civils, Charles-Louis de Secondat, baron de Montesquieu, fait partie de la noblesse d'épée et de robe provinciale. Petit-fils et arrière petit-fils de magistrats bordelais, l'auteur des *Lettres persanes* est aussi le fils d'un mousquetaire (au service du prince de Conti) marié à une riche héritière. La mère de l'écrivain apporta en dot le superbe château de La Brède. Charles Louis grandit dans un milieu traditionnellement tolérant et plutôt libéral (en matière religieuse notamment), cultivé (la bibliothèque de La Brède comporte plus de 3 000 ouvrages, riche catalogue complété par Charles-Louis) et privilégié (sa famille possède terres, vignes, titres et responsabilités). Une famille détachée des fastes parisiens, attachée à ses privilèges et critique à l'égard de la politique absolutiste de Louis XIV qui tend à reléguer cette noblesse ancienne au second plan. Quand Montesquieu naît, en 1689, le régime louis-quatorzien amorce son déclin : l'intolérance religieuse et la répression gagnent, l'aristocratie traditionnelle est en partie écartée des décisions, les conditions de vie empirent à mesure que les guerres, les disettes et les hivers passent.

Dates clés

1689 : naissance de Charles-Louis de Secondat, baron de Montesquieu.

LES ANNÉES DE FORMATION

• Une enfance loin du château familial

Sous l'Ancien Régime, les familles nobles confiaient fréquemment les jeunes enfants à des nourrices ou à des familles modestes pendant quelques années. Montesquieu (comme Montaigne, plus d'un siècle auparavant) fut placé dans une famille humble : les meuniers du village. Il y resta jusqu'à l'âge de onze ans. Son accent gascon, célèbre ensuite dans les salons parisiens, et son goût pour les vignes (plus que pour le vin semble-t-il) trouvèrent sans doute dans cette éducation leur ferment vivace. Charles-Louis est ensuite envoyé dans un collège de religieux oratoriens à Juilly près de Meaux. Les oratoriens dispensaient un enseignement très moderne et ouvert sur le monde contemporain : ils font leurs cours en français (contrairement aux jésuites qui enseignent en latin), ils insistent sur les sciences expérimentales, les langues vivantes, la philosophie cartésienne et l'histoire. Autant de curiosités dont l'adulte écrivain et essayiste se souviendra.

• L'apprentissage de la ville : Bordeaux et Paris

Puis l'auteur de *L'Esprit des lois* revient à Bordeaux, en 1705, suivre des études de droit qui ne le passionnent guère. Fidèle à une tradition familiale plus qu'à une passion, il obtient sa licence en 1708 et peut exercer la profession d'avocat au Parlement de Bordeaux. Mais d'autres aspirations le travaillent : dès 1709 il se rend à Paris et s'y installe pendant quatre ans. Bon nombre des portraits parisiens et des aperçus satiriques que l'on retrouve dans les *Lettres persanes* datent sans doute de cette époque. Époque de maturation, d'observations,

Dates clés

1700 : Montesquieu entre au collège oratorien de Juilly.

1705 : retour de Montesquieu à Bordeaux pour étudier le droit.

1708 : licence en droit.

1709-1713 : séjour à Paris.

d'expériences et de rencontres que l'écrivain se remémore quand il commence la rédaction de son premier roman, probablement en 1717, au cours d'un second séjour parisien. Gageons que notre aristocrate provincial à fort accent fut parfois regardé comme un Persan (voir lettre 24, p. 27) par quelque courtisan ou quelque salonnard parisien et qu'il se sentit souvent aussi décalé que Rica !

• Retour au pays

À la mort de son père, en novembre 1713, l'« apprentissage parisien » prend fin. Montesquieu retourne dans le Sud-Ouest. En 1714, il est nommé conseiller au Parlement de Bordeaux. Il partage sa vie entre la capitale girondine et le château de La Brède. Il se marie en 1715 avec Jeanne de Lartigue, une riche protestante ; ils auront trois enfants.
Un an plus tard l'écrivain hérite de son oncle la charge de « président à mortier » du Parlement de Bordeaux. Il devient une personnalité en vue. Il hérite aussi de la terre de son oncle et devient alors le baron de Montesquieu. Il fait aussi son entrée à l'Académie de Bordeaux, sorte de club créé en 1713 pour accueillir les intellectuels et les savants de la région. Il publie cette même année un premier essai historique et philosophique qui étudie les relations entre religion et politique à Rome (*Dissertation sur la politique des Romains dans la religion).* Son activité de président le passionne peu : il a d'autres ambitions. Il revendra d'ailleurs sa charge (vénale) au Parlement en 1726.
Peu zélé dans ses tâches officielles au Parlement, Montesquieu réserve son énergie à ses vignes et à ses

Dates clés

1713 : mort du père de Montesquieu.

1714 : Montesquieu est conseiller au Parlement de Bordeaux.

1715 : mariage avec Jeanne de Lartigue.

1716 : Montesquieu, « président à mortier » (le « mortier » désigne la toque ronde portée par le président) du Parlement de Bordeaux.

lectures. Et celles-ci l'entraînent sur le difficile et sinueux chemin de l'écriture…

L'ÉPOQUE DES *LETTRES PERSANES*

• Un anonymat prudent

Montesquieu fait plusieurs séjours à Paris, de 1716 à 1719. Il aime la ville et approfondit ses observations qui constitueront la matière satirique des *Lettres persanes.* Il se retire aussi au château de La Brède pour peaufiner son roman et puiser dans la bibliothèque lectures et sources d'inspiration. Il a notamment lu *L'Espion du Grand-Seigneur* de l'italien Giovanni-Paolo Marana (1684) et le *Journal de voyage du chevalier Chardin en Perse* (1686), deux ouvrages qui seront les sources les plus évidentes des *Lettres persanes.* C'est aussi en lisant qu'on devient écrivain ! Il a trouvé le cadre formel, celui du roman épistolaire rédigé par des témoins exotiques, qui lui permettra de donner voix à sa verve critique et à son expérience parisienne.

Dates clés

1717-1720 : rédaction des *Lettres persanes.*

1721 : première édition anonyme des *Lettres persanes.*

Une fois achevé, l'ouvrage est confié à un imprimeur protestant français, Jacques Desbordes, installé à Amsterdam en Hollande. Au printemps 1721 paraît la première édition, clandestine, qui échappe, de ce fait, à la censure. N'oublions pas que Montesquieu est à cette époque un notable de province exerçant encore la charge de président du Parlement de Bordeaux peu compatible avec la virulence satirique des Persans et leurs attaques des dogmes religieux ou des dérives despotiques de la monarchie française.

• Un succès éclatant

Le livre obtint un succès immédiat en dépit de (ou grâce à…) cette clandestinité prudente. Le roman s'arrache dans tout Paris et son auteur, très vite identifié, en tire gloire et réputation de bel esprit. Grâce aux *Lettres persanes,* les portes des salons parisiens les plus fameux s'ouvrent, signe que l'esprit critique des Lumières commence à planer sur les cercles intellectuels de la capitale. Et quelques années plus tard (en 1728), poussé par quelques figures en vue comme Fontenelle et Mme de Lambert, Montesquieu fera son entrée à l'Académie française.

Date clé

1728 : Montesquieu entre à l'Académie française.

ÉQUILIBRE ET TOLÉRANCE : LES VOIES DE LA SAGESSE

La vie de Montesquieu montre une sagesse pratique, parfois déroutante et toujours attachante. Prenons deux exemples. À une époque où l'intolérance religieuse est en vogue, notamment depuis la révocation de l'édit de Nantes (1685) et les persécutions contre les jansénistes, dont la bulle *Unigenitus* (1713) n'est qu'un épisode supplémentaire, Montesquieu prône le pluralisme religieux et la tolérance envers toutes les minorités. Ce message moderne, constamment contesté, hier comme aujourd'hui, il ne se contente pas de l'affirmer, il le met en œuvre. En se mariant avec une protestante, en confiant son livre à un éditeur de la même confession, il marque son indifférence à l'égard des directives politiques de l'époque. Alors qu'il ne sera pas très proche des jansénistes, il interviendra tout de même pour défendre leur droit d'expression. Le pluralisme qui engendre les débats est pour lui préférable aux tentations du pouvoir unique et absolu…
De même Montesquieu sera à la fois parisien et provincial. Montesquieu se plaît dans la capitale comme

dans ses vignes ! Il est aussi à l'aise dans les salons d'intellectuels que parmi les mésanges, les ceps et les raisins. Belle leçon que résument deux pensées : « *Je me trouvais heureux dans mes terres où je ne voyais que des arbres ; et je me trouve heureux à Paris, au milieu de ce nombre d'hommes qui égale les sables de la mer* ». « *Quand j'ai été dans le monde, je l'ai aimé comme si je ne pouvais souffrir la retraite. Quand j'ai été dans mes terres, je n'ai plus songé au monde* ». Peut-être est-ce là une leçon de sagesse : savoir profiter du moment présent, savoir le savourer pour en tirer joie et bonheur ! Se moquer des conformismes et des effets de mode…

L'Esprit des lois

• Un voyage d'observation

Académicien français, auteur à succès et grand seigneur vigneron, Montesquieu, une fois libéré de sa charge de président à mortier du Parlement de Bordeaux en 1726, entreprend (en avril 1728) un grand voyage en Europe. Poussé par des ambitions diplomatiques qui seront déçues, il en profite pour côtoyer les hommes politiques, les personnalités en vue et les intellectuels des pays qu'il visite. Son voyage devient progressivement une véritable enquête comparative sur la nature des pouvoirs en Europe : autant d'expériences et d'observations qui lui serviront à élaborer sa réflexion sur les différents régimes politiques et sur leur lien avec l'histoire, l'environnement, les coutumes des divers pays. Autant de sujets qui seront développés au fil des années suivantes et qui seront rassemblés dans le livre majeur de l'auteur : *L'Esprit des lois* (1748). Pour l'heure, Montesquieu visite Vienne, traverse la Hongrie, parcourt

Dates clés

1728-1731 : voyages dans divers pays européens.

l'Italie puis la Bavière et la Prusse, se rend aux Pays-Bas avant d'achever son périple par un long séjour en Angleterre. Il restera environ sept mois dans ce pays qui a vécu une révolution et qui incarne pour lui tolérance et équilibre des pouvoirs, bien loin des dérives absolutistes de la monarchie française. Grâce à un protestant français exilé à Londres, Pierre Coste, il découvre ou approfondit sa connaissance des penseurs (Locke, Hobbes) et du système politique anglais.

- **Une lente maturation**

De retour à La Brède en 1731, il consacre son temps à la lecture et à l'écriture d'essais politico-historiques. Toujours passionné d'histoire antique, il poursuit ses réflexions sur Rome en publiant ses *Considérations sur les causes de la grandeur des Romains et de leur décadence* (1734). Il rédige *L'Esprit des lois* pendant les quatorze années qui suivront son retour, achevant son œuvre vers 1745. À cette époque, Montesquieu est malade des yeux : une cataracte menace de le rendre aveugle. Sa fille et divers secrétaires se relaieront pour recopier et relire *L'Esprit des Lois*. Cet ouvrage lui vaudra une consécration définitive comme penseur des Lumières et figure intellectuelle majeure du XVIIIe siècle, mais sera aussi condamné par Rome et mis à l'Index en novembre 1751. Les catholiques lui reprochent en effet un chapitre où il s'attaque aux inquisiteurs, sujet polémique qu'il évoquait déjà dans les *Lettres persanes* (voir lettre 29, p. 67). Dès lors il sera associé aux philosophes de l'Encyclopédie (pour laquelle il écrit l'article « Goût ») et continuera à partager sa vie entre Paris et ses domaines du Sud-Ouest. Il meurt en 1755, quelques mois après avoir rédigé ses *Réflexions sur les Lettres persanes* (voir p. 123).

Dates clés

1730 : séjour en Angleterre.

1731 : retour au château de La Brède.

1748 : *L'Esprit des Lois.*

1751 : *L'Esprit des Lois* est mis à l'Index par le Vatican.

1755 : mort de Montesquieu.

Vivre au temps des *Lettres persanes*

Les lettres qui composent le roman sont datées : elles englobent les années 1711-1720. Montesquieu peut ainsi parler des dernières années du régime louis-quatorzien. Il se livre à une dénonciation polémique et satirique de l'absolutisme qui a marqué le long règne de Louis XIV (1643-1715). Puis, après une période de répit qui a les faveurs de notre écrivain (le début de la Régence), Montesquieu semble regretter la dérive d'un régime qui, à partir de 1718, renoue en partie avec les défauts de la politique précédente menée par le Roi Soleil.

À retenir

1715 : mort de Louis XIV et début de la Régence.

L'absolutisme de Louis XIV

Les critiques de Montesquieu traduisent assez bien l'opposition de nombreux nobles à la politique de Louis XIV. Elles portent essentiellement, dans les *Lettres persanes,* sur trois points. Montesquieu reproche à Louis XIV un absolutisme qui a écarté les contre-pouvoirs du Parlement et de la noblesse. Il critique aussi la politique d'unification religieuse du royaume et le rejet du pluralisme dans ce domaine. Enfin, il regrette le bellicisme du roi qui a plongé les finances publiques dans un abîme insondable et le peuple dans une douloureuse misère.

• Un État centralisé

L'absolutisme de Louis XIV est marqué par deux processus nouveaux : les décisions importantes sont prises par le roi et un entourage largement acquis à sa politique. Le contrôle sur le royaume, beaucoup plus étroit et efficace, passe par le développement d'une administration zélée que le pouvoir confie essentiellement à une nouvelle classe bourgeoise riche et docile. L'absolutisme va permettre de museler les appétits politiques de la haute et de la moyenne noblesse (celle des parlements provinciaux par exemple) en confiant les responsabilités à une élite économique qui acquiert progressivement pouvoir politique et titres nobiliaires. Les bourgeois les plus fortunés rejoignent les privilégiés de naissance. Montesquieu qui prône une monarchie tempérée, rénovée et équilibrée par des pouvoirs intermédiaires, ceux des parlements et de la noblesse notamment, s'oppose à cette évolution et refuse la construction d'un État centralisé qu'il juge volontiers despotique.

- **Un État intolérant**

En 1685, Louis XIV, qui craint entre autres les conceptions politiques et le contre-pouvoir des protestants, fait abroger l'édit de Nantes grâce auquel, depuis 1598, la tolérance religieuse prévalait en France. Cette mesure affaiblira sensiblement l'économie française tout en renforçant celle des pays les plus accueillants comme l'Angleterre ou les Pays-Bas. Les protestants, souvent prospères et dynamiques, s'exilèrent en effet massivement. Les persécutions contre les jansénistes, qui sont eux aussi soupçonnés de conceptions subversives, commencent pendant le règne de Louis XIV. Le dernier épisode de cette politique sectaire est évoqué par Montesquieu dans les *Lettres persanes.* Le pape Clément XI publia, en 1713, une bulle intitulée *Unigenitus* dans laquelle il condamnait les propositions parfois très modernes d'un janséniste, Pasquier Quesnel. Cette condamnation qui satisfaisait Louis XIV choqua bon nombre de parlementaires et d'intellectuels. Montesquieu, partisan d'une tolérance et

À retenir

1685 : abrogation de l'édit de Nantes (1598).

1713 : bulle *Unigenitus*.

d'un pluralisme qu'il juge féconds en matière religieuse, se range dans le camp des opposants à cette persécution, même s'il se réclame d'un catholicisme assez traditionnel.

• Un État ruiné par la guerre

Deux grandes guerres, celle de la Ligue d'Augsbourg et celle de la Succession d'Espagne marqueront les trente dernières années du règne. Les revers militaires et les crises de subsistance consécutives à des intempéries (en 1693-1694, puis en 1709-1710), assombriront le bilan du Roi Soleil. Les paysans souffrent dans les campagnes, le commerce (notamment celui du vin dans le Sud-Ouest) en pâtit et les vagabonds prolifèrent. Austérité et répression dominent un pays fatigué dont les finances sont exsangues. L'État français est menacé de banqueroute.

À retenir

1715 : Philippe d'Orléans fait casser le testament de Louis XIV par le Parlement de Paris. Le Régent rétablit en échange le « droit de remontrances » du Parlement.

1715-1718 : polysynodie.

LA RÉGENCE (1715-1723)

Comme beaucoup d'aristocrates frustrés par la politique absolutiste de Louis XIV, Montesquieu voit d'un bon œil l'arrivée de Philippe d'Orléans nommé au pouvoir après la mort de Louis XIV. En 1715, le Régent fait casser le testament de Louis XIV et redonne un pouvoir de remontrances au Parlement parisien. Ce premier geste symbolique est apprécié par Montesquieu car il montre une volonté de rupture avec la politique de Louis XIV et un retour en grâce des contre-pouvoirs chers à notre écrivain.

• Le retour de la noblesse

Philippe d'Orléans met en place un système de gouvernement original, la « polysynodie » (plusieurs Conseils d'une dizaine de membres qui élisent leur

président) qui permet aux aristocrates de faire un retour en force dans la gestion des affaires publiques. Louis XIV avait délibérément et systématiquement écarté les nobles des grandes fonctions du gouvernement.
Il administrait le pays avec six ministères. Le Régent nomme six puis huit Conseils et quelques grandes figures de l'aristocratie sont rappelées. Mais ce système sera en grande partie aboli en septembre 1718, au grand dam de Montesquieu…
En matière religieuse, une relative tolérance règne dans les premières années de la Régence. Le duc D'Orléans n'est pas hostile aux jansénistes. Mais là encore, une évolution se dessinera quelques années plus tard et le Parlement sera même exilé quand il montrera quelques réticences à enregistrer la bulle *Unigenitus*. Celle-ci sera votée en 1720. C'est un dangereux et fâcheux revers pour tous les amateurs de pluralisme et de tolérance.

- **La recherche de la paix**

La politique internationale mise en place par l'influent cardinal Dubois (précepteur du régent puis diplomate influent) satisfait davantage Montesquieu. La France se rapproche diplomatiquement de l'Angleterre. Louis XIV rêvait d'une alliance avec l'Autriche et l'Espagne contre l'Angleterre. Le cardinal Dubois, lui, renverse les alliances ! La France se place aux côtés des nations libérales, protestantes et capitalistes. Elle se rapproche aussi des Pays-Bas. Cela engendre une détente internationale qui favorise aussi une paix durable. Le pays peut sortir d'une économie de guerre. L'alliance franco-anglaise suppose l'abandon de toute prétention française à la suprématie militaire. Elle permet une pacification des mers favorable au commerce naval entre les deux pays.

• Des débuts financiers prometteurs

Enfin, la politique économique de la Régence intéressa Montesquieu. Le duc de Noailles tenta de pallier la dérive des finances publiques, dès 1715, en annulant certaines dettes et en taxant les puissants fermiers généraux chargés de récolter les impôts. La réduction des dépenses militaires et l'augmentation du prix des « offices » contribuèrent à diminuer les dettes. Mais cela ne suffit pas.

À retenir

1717 : John Law aux Finances.

1720 : faillite du système de Law.

Philippe d'Orléans décide de confier les finances, en 1717, à un financier écossais, John Law (1671-1729). Celui-ci pense que l'activité économique dépend de la quantité de monnaie en circulation et que la monnaie de papier est l'avenir. Il crée une banque qui émet du papier-monnaie et une compagnie internationale pour développer le commerce avec la Louisiane. Les créanciers de l'État deviennent des actionnaires de cette *Compagnie du Mississipi.* Elle promet de gros profits à venir. Le succès est rapide, le public s'arrache les actions de cette compagnie qui devient, en 1719, *Compagnie des Indes.* Une fièvre de spéculation s'empare du tout-Paris. Le cours des actions s'envole, et certains investisseurs chanceux font fortune en quelques jours. Des nobles aux cochers tout le monde vient investir dans la rue Quincampoix où se déroulent les transactions. Mais le système repose sur des richesses encore hypothétiques et espérées. En 1720, des rumeurs déclenchent une crise de confiance. Les Parisiens se précipitent pour revendre leurs actions. Le système s'écroule, entraînant la ruine de nombreux spéculateurs, grands et petits.

Les Lettres persanes : un roman épistolaire

Roman épistolaire et dédain du romanesque...

• L'héritage de la pastorale

Au début du XVIIIe siècle le genre romanesque connaît une certaine désaffection. Les immenses romans pastoraux (*L'Astrée,* d'Honoré d'Urfé), historico-sentimentaux (*Cléopâtre* de La Calprenède) ou héroïco-sentimentaux (*Clélie* ou *Le Grand Cyrus* de Mlle de Scudéry), qui connurent un succès important auprès du public lettré au XVIIe siècle, ont fini par lasser. Ces romans fleuves dont certains dépassent les 13 000 pages (!) présentent des intrigues compliquées, des personnages multiples et un univers largement tributaire des anciens codes chevaleresques ou mondains : ils paraissent de plus en plus anachroniques, frivoles et artificiels. Les nouveaux romanciers souhaitent éviter le romanesque débridé et l'invraisemblance tout en introduisant le monde contemporain et sa critique dans leurs romans. Ils vont donc chercher des formes d'écriture nouvelles.

• Une forme moderne

Le roman épistolaire est une ces formes modernes qui connaîtront un succès éclatant au XVIIIe siècle. Quelques années après les *Lettres persanes* qui, selon Montesquieu, apprirent à ses contemporains « *à faire des romans par lettres* », des dizaines de romans épistolaires paraîtront en France. Ce genre connaîtra un essor comparable aux romans mémoires qui racontent à la première personne la vie d'un personnage fictif (*La Vie de Marianne* par exemple, de Marivaux ou *Les Égarements du cœur et de l'Esprit* de Crébillon). Ces deux formes romanesques paraissent en effet beaucoup plus réalistes et vraisemblables. Elles permettent d'évoquer le monde contemporain, l'actualité politique et sociale à travers le témoignage direct d'un ou de plusieurs personnages.

À retenir

1731-1742 : *La Vie de Marianne,* roman de Marivaux.

1736 : *Les Égarements du cœur et de l'esprit ou Mémoires de Monsieur de Meilcour* par Crébillon fils.

• Une forme vraisemblable

Le roman épistolaire paraît si réaliste et authentique qu'il peut sembler écrit par des témoins réels. Les auteurs du XVIIIe siècle joueront sur cette ambiguïté pour se protéger, attiser la curiosité des lecteurs ou accréditer la véracité de leurs lettres, refusant explicitement le statut de romancier pour adopter celui de simple éditeur ou de traducteur. C'est ce que fait Montesquieu dans sa préface de 1721, avant Crébillon, Rousseau ou Choderlos de Laclos : « *Les Persans qui écrivent étaient logés avec moi ; nous passions notre vie ensemble* » (Préface de 1721, p. 121). Usbek et Rica inséparables de Montesquieu ? Certes ! À une époque où le roman a mauvaise presse, Montesquieu veut faire croire que son texte est un témoignage réel qu'il s'est contenté de recueillir et de mettre en forme.
Stratagème déjà traditionnel au XVIIIe siècle qui montre aussi que le mot roman, assimilé le plus souvent à un romanesque débridé, ne convient pas parfaitement aux *Lettres persanes* et pourrait détourner l'attention d'un public friand de modernité et de débats d'idées. Il est donc préférable de présenter son texte comme

un document plutôt que comme une fantaisie imaginée par un notable bordelais. Roman épistolaire, le livre de Montesquieu l'est parce que les lettres sont évidemment écrites par Montesquieu sous couvert de témoins fictifs (les Persans). L'échange épistolaire est inventé et le lecteur est face à une correspondance imaginée. Mais le texte de Montesquieu tient parfois de l'essai philosophique, économique ou politique et l'intrigue proprement romanesque se réduit finalement à peu de chose… Le roman englobe des discours qui ne sont pas vraiment romanesques ! Tel est le paradoxe du roman moderne au XVIIIe siècle.

L'héritage de Montesquieu

Dans les *Lettres persanes* Montesquieu rassemble et mêle un triple héritage. C'est ce mélange qui constitue le coup de maître de l'auteur.

• Le roman par lettres

Le roman épistolaire existait en effet avant notre auteur, comme forme marginale du roman sentimental. Dans les romans de la Grèce ancienne, qui furent lus avec passion au XVIIIe siècle, il n'était pas rare de trouver des lettres d'amants séparés. Mais les romans n'étaient pas encore exclusivement composés de lettres. La narration se mêlait à l'épistolaire. La lettre apportait une tonalité lyrique ou élégiaque dans le récit. Le roman d'amour épistolaire, entièrement composé de lettres, trouvera sa forme la plus accomplie au XVIIe siècle avec les *Lettres de la Religieuse Portugaise* (1669). Avant Montesquieu,

À retenir

1669 : *Lettres de la Religieuse portugaise.* Ouvrage attribué ultérieurement à Guilleragues.

le véritable auteur de ce roman se dissimule et atteste dans la préface de l'authenticité des lettres publiées… Il faudra plus de trois siècles pour que le vicomte de Guilleragues soit définitivement identifié comme auteur de ce grand succès du XVIIe siècle. Longtemps les lecteurs crurent que les cinq lettres signées par la religieuse portugaise, séduite puis abandonnée, étaient des lettres authentiques. Influencé par la tragédie racinienne, Guilleragues utilise la lettre pour renouveler le monologue amoureux et désespéré. Les échanges entre les femmes du harem et Usbek, avec leurs accents parfois nostalgiques et tragiques, s'inscrivent dans cette lignée.

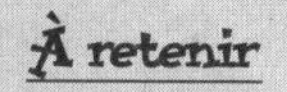

1656-1657 : *Les Provinciales* de Blaise Pascal.

• Le recueil de lettres polémiques ou philosophiques

Montesquieu hérite aussi d'une tradition vivace depuis l'Antiquité : celle du recueil épistolaire polémique et philosophique. Depuis les lettres de Sénèque (*Lettres à Lucilius*) et Cicéron (*Lettres à Atticus*) jusqu'aux *Provinciales* (1656-1657) de Pascal, la lettre est utilisée pour présenter un point de vue ou instaurer un débat entre des personnages qui échangent une correspondance. Il ne s'agit plus de roman ici mais plutôt d'un essai philosophique qui emprunte la forme de la lettre pour interpeller un destinataire. Même si les auteurs des lettres peuvent être fictifs, ce n'est pas leurs aventures que nous suivront mais leurs idées. L'argumentatif prime ici sur le narratif. On pourrait en dire autant des *Lettres persanes*. Très souvent en effet l'essai philosophique y prend le pas sur le roman, et l'histoire romanesque proprement dite, qui raconte les relations d'Usbek avec son harem, occupe finalement un quart du livre (une quarantaine de lettres environ sur 161).

• Les « turqueries »

Enfin Montesquieu hérite d'une verve satirique moderne présente dans le roman épistolaire exotique. C'est cette forme qu'il adopte en choisissant comme principaux épistoliers les deux Persans Usbek et Rica. Il s'inspirait ici d'un livre fameux à l'époque où un observateur turc décrivait quelques-unes de ses expériences en Europe : l'italien Marana inventa un épistolier prolixe (700 lettres !) et tenace (les lettres sont envoyées pendant quarante-cinq ans). Montesquieu possédait ce livre (*L'espion Turc*, titre abrégé…), dans son édition de 1711. Avec Marana, la correspondance se faisait volontiers satirique et critique, veine que les *Lettres persanes* exploiteront avec brio et variété. Publié en 1684, l'ouvrage de Marana fut traduit en français dès 1686. Il devait connaître un vrai succès et lancer toute une lignée de récits épistoliers exotiques dont un des premiers avatars est dû à l'auteur de Robinson Crusoë. Daniel De Foe proposa en effet en 1718 un recueil de lettres intitulé *Suite des Lettres de l'Espion Turc.*

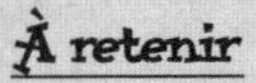

1684 : *L'Espion dans les cours…* de Marana.

1718 : *Suite des Lettres de l'Espion Turc* par Daniel De Foe.

Groupement de textes :
La satire au XVIIIe siècle

Genre poétique traditionnel codifié par des poètes de l'Antiquité comme Luculius, Horace ou Juvénal, la satire prend, après le XVIIe siècle un sens second, plus général. Le terme désigne alors un discours qui s'attaque à quelqu'un ou à un vice en s'en moquant et non plus une forme poétique particulière. Au XVIIIe siècle la verve satirique se diffuse dans tous les genres : le roman, le théâtre, le conte, la poésie, les récits de voyage plus ou moins fictifs, les essais philosophiques et jusqu'aux textes supposés *explicatifs de L'Encyclopédie*.
Critique et moqueuse, insolente et parfois mordante, la satire est liée à une conception offensive de la littérature. Elle use d'humour, de caricature, d'ironie et utilise volontiers la voix de personnages décalés pour exprimer, sous le masque de l'innocence ou de la naïveté, des vérités difficiles à dire et à entendre. À chacun son Persan donc ! Arlequin, Figaro, Crispin, un vieillard polynésien, un Huron, Candide, Zadig, Gulliver, Le Neveu de Rameau… voilà quelques-unes des grandes voix rebelles du XVIIIe siècle qui dévoilent la cruauté insupportable d'un monde en perdition.

L'Île des esclaves

Pour se moquer des aristocrates, Marivaux transpose dans un monde antique imaginaire et utopique le rapport maître-serviteur. Utilisant le principe subversif du renversement paradoxal, il fait débarquer un petit maître, Iphicrate, et son valet, Arlequin, sur une île où les rapports sociaux sont inversés. Les deux personnages doivent échanger leurs costumes et leurs rôles. La satire est souvent mise en mots par l'atypique Arlequin dans la comédie marivaudienne. Issu de la *commedia dell'arte*, traditionnellement naïf et exotique dans l'univers des beaux parleurs et des galants séducteurs, Arlequin dénonce les vices et les faux-semblants de cette société aristocratique et dédaigneuse, tout en mimant ironiquement le langage artificiel des maîtres et les ridicules des vaniteux. Dès l'ouverture de la pièce, le jeu utopique d'inversion déclenche chez lui une certaine jubilation tandis que les résistances d'Iphicrate le mènent à l'irritation et bientôt à la violence…

SCÈNE 1

IPHICRATE *s'avance tristement sur le théâtre*[1] *avec* ARLEQUIN.

IPHICRATE, *après avoir soupiré*. Arlequin ?
ARLEQUIN, *avec une bouteille de vin qu'il a à sa ceinture*. Mon patron.
IPHICRATE. Que deviendrons-nous dans cette île ?
ARLEQUIN. Nous deviendrons maigres, étiques[2], et puis morts de faim : voilà mon sentiment et notre histoire.
IPHICRATE. Nous sommes seuls échappés du naufrage ; tous nos camarades ont péri, et j'envie maintenant leur sort.
ARLEQUIN. Hélas ! ils sont noyés dans la mer, et nous avons la même commodité[3].
IPHICRATE. Dis-moi ; quand notre vaisseau s'est brisé contre le rocher, quelques-uns des nôtres ont eu le temps de se jeter dans la chaloupe ; il est vrai que les vagues l'ont enveloppée, je ne sais ce qu'elle est devenue ; mais peut-être auront-ils eu le bonheur d'aborder en quelque endroit de l'île, et je suis d'avis que nous les cherchions.

1. *le théâtre* : la scène. **2. *étiques* :** squelettiques. **3. *commodité* :** fortune, destin.

ARLEQUIN. Cherchons, il n'y a pas de mal à cela ; mais reposons-nous auparavant pour boire un petit coup d'eau-de-vie : j'ai sauvé ma pauvre bouteille, la voilà ; j'en boirai les deux tiers, comme de raison, et puis je vous donnerai le reste.
IPHICRATE. Eh, ne perdons point de temps, suis-moi, ne négligeons rien pour nous tirer d'ici[1] ; si je ne me sauve, je suis perdu, je ne reverrai jamais Athènes, car nous sommes dans l'île des Esclaves.
ARLEQUIN. Oh, oh ! qu'est-ce que c'est que cette race-là ?
IPHICRATE. Ce sont des esclaves de la Grèce révoltés contre leurs maîtres, et qui depuis cent ans sont venus s'établir dans une île, et je crois que c'est ici : tiens, voici sans doute quelques-unes de leurs cases ; et leur coutume, mon cher Arlequin, est de tuer tous les maîtres qu'ils rencontrent, ou de les jeter dans l'esclavage.
ARLEQUIN. Eh ! Chaque pays a sa coutume : ils tuent les maîtres, à la bonne heure, je l'ai entendu dire aussi ; mais on dit qu'ils ne font rien aux esclaves comme moi.
IPHICRATE. Cela est vrai.
ARLEQUIN. Eh ! encore vit-on.
IPHICRATE. Mais je suis en danger de perdre la liberté, et peut-être la vie ; Arlequin, cela ne suffit-il pas pour me plaindre ?
ARLEQUIN, *prenant sa bouteille pour boire.* Ah ! Je vous plains de tout mon cœur, cela est juste.
IPHICRATE. Suis-moi donc ?
ARLEQUIN *siffle.* Hu, hu, hu.
IPHICRATE. Comment donc, que veux-tu dire ?
ARLEQUIN *distrait chante.* Tala ta lara.
IPHICRATE. Parle donc, as-tu perdu l'esprit, à quoi penses-tu ?
ARLEQUIN, *riant.* Ah, ah, ah, monsieur Iphicrate, la drôle d'aventure ; je vous plains, par ma foi, mais je ne saurais m'empêcher d'en rire.

L'Île des esclaves, Marivaux, 1725.

4. *nous tirer d'ici* : sortir d'ici. Le mot « tirer » n'a pas de nuance familière.

GIL BLAS DE SANTILLANE

Après s'être illustré avec des pièces satiriques où les valets ridiculisent les représentants dérisoires d'une aristocratie déclassée ou vident la bourse de bourgeois naïfs et niais, Lesage raconte l'ascension sociale de Gil Blas dans un long roman à rebondissements. Il reprend un genre satirique et parodique espagnol, le roman picaresque, qui raconte les tribulations réalistes d'un héros déclassé, le picaro, prêt à tout pour échapper à la misère. Vagabondant de maître en maître, celui-ci apprend à être suffisamment fourbe et voleur pour occuper les plus hautes fonctions ! L'Espagne n'est évidemment ici qu'un alibi pour dénoncer la société française et ses mœurs politiques sous le règne de Louis XIV et sous la Régence. Et l'on verra dans cet extrait que la satire politique n'a rien perdu de sa saveur ! Parvenu au faîte de son ascension, Gil Blas, l'ancien valet et comédien, est engagé par le Premier ministre espagnol, le comte d'Olivarès. Il était auparavant le premier secrétaire du précédent ministre, le duc de Lerme…

> « Oh ça ! Santillane, voyons un peu ce que tu sais faire. Tu m'as dit que le duc de Lerme te donnait des mémoires à rédiger ; j'en ai un que je te destine pour ton coup d'essai. Je vais t'en dire la matière : il est question de composer un ouvrage qui prévienne le public en faveur de mon ministère. J'ai déjà fait courir le bruit secrètement que j'ai trouvé les affaires fort dérangées ; il s'agit présentement d'exposer aux yeux de la cour et de la ville le misérable état où la monarchie est réduite. Il faut faire là-dessus un tableau qui frappe le peuple, et l'empêche de regretter mon prédécesseur. Après cela, tu vanteras les mesures que j'ai prises pour rendre le règne du roi glorieux, ses États florissants et ses sujets parfaitement heureux. »
>
> Après que Monseigneur m'eut parlé de cette sorte, il me mit entre les mains un papier qui contenait les justes sujets qu'on avait de se plaindre de l'administration précédente ; et je me souviens qu'il y avait dix articles, dont le moins important était capable d'alarmer les bons Espagnols ; puis,

m'ayant fait passer dans un petit cabinet[1] voisin du sien, il m'y laissa travailler en liberté. Je commençai donc à composer mon mémoire le mieux qu'il me fut possible. J'exposai d'abord le mauvais état où se trouvait le royaume : les finances dissipées, les revenus royaux engagés à[2] des partisans, et la marine ruinée. Je rapportai ensuite les fautes commises par ceux qui avaient gouverné l'État sous le dernier règne, et les suites fâcheuses qu'elles pouvaient avoir. Enfin, je peignis la monarchie en péril, et censurai si vivement le précédent ministère, que la perte du duc de Lerme était, suivant mon mémoire, un grand bonheur pour l'Espagne. Pour dire la vérité, quoique je n'eusse aucun ressentiment contre ce seigneur, je ne fus pas fâché de lui rendre ce bon office. Voilà l'homme !

Enfin, après une peinture effrayante des maux qui menaçaient l'Espagne, je rassurais les esprits en faisant avec art concevoir aux peuples de belles espérances pour l'avenir. Je faisais parler le comte d'Olivarès comme un restaurateur envoyé du ciel pour le salut de la nation ; je promettais monts et merveilles. En un mot, j'entrai si bien dans les vues du nouveau ministre, qu'il parut surpris de mon ouvrage lorsqu'il l'eut lu tout entier. « Santillane, me dit-il, sais-tu bien que tu viens de faire un morceau digne d'un secrétaire d'État ? Je ne m'étonne plus si le duc de Lerme exerçait[3] ta plume. Ton style est concis et même élégant ; mais je le trouve un peu trop naturel. » En même temps, m'ayant fait remarquer les endroits qui n'étaient pas de son goût, il les changea ; et je jugeai par ses corrections qu'il aimait, comme Navarro[4] me l'avait dit, les expressions recherchées et l'obscurité. Néanmoins, quoiqu'il voulût de la noblesse, ou, pour mieux dire, du précieux pour la diction, il ne laissa pas de conserver les deux tiers de mon mémoire, et, pour me témoigner jusqu'à quel point il en était satisfait, il m'envoya par Don Raimond[5] trois cents pistoles[6] à l'issue de mon dîner.

Gil Blas de Santillane, Lesage, 1715-1735.

1. cabinet : bureau.
2. engagés à : donnés en gage à.
3. exerçait : employait.
4. Navarro : ami de Gil Blas.
5. Don Raimond : intendant du comte.
6. pistoles : ancienne monnaie d'or en Espagne.

Poème sur le désastre de Lisbonne

En 1755, un tremblement de terre ravagea la ville de Lisbonne au Portugal, causant au moins 30 000 morts. Comme ses contemporains, Voltaire apprit la nouvelle avec effroi. Le brillant polémiste du XVIIIe siècle s'adresse ici directement aux théologiens catholiques qui affirment qu'un Dieu bienveillant veille sur le destin des hommes et les récompense en fonction de leurs actions. Tous ces philosophes de la Providence qui justifient parfois les désastres au nom d'une justice divine et d'une culpabilité humaine sont renvoyés à l'évidence abominable d'un scandale inexplicable, que rien ne peut justifier. Si Dieu peut en effet punir et si le monde qu'il a créé est celui du « *moindre mal* » ou le meilleur possible, comment expliquer les massacres d'innocents ? Ceux qui défendent un Dieu à la fois bon et tout-puissant sont en ligne de mire.

Ô malheureux mortels ! ô terre déplorable !
Ô de tous les mortels assemblage effroyable !
D'inutiles douleurs éternel entretien !
Philosophes trompés qui criez : « Tout est bien » ;
Accourez, contemplez ces ruines affreuses,
Ces débris, ces lambeaux, ces cendres malheureuses,
Ces femmes, ces enfants l'un sur l'autre entassés,
Sous ces marbres rompus ces membres dispersés ;
Cent mille infortunés que la terre dévore,
Qui, sanglants, déchirés, et palpitants encore,
Enterrés sous leurs toits, terminent sans secours
Dans l'horreur des tourments leurs lamentables jours !
Aux cris demi-formés de leurs voix expirantes,
Au spectacle effrayant de leurs cendres fumantes,
Direz-vous : « C'est l'effet des éternelles lois
Qui d'un Dieu libre et bon nécessitent le choix » ?
Direz-vous, en voyant cet amas de victimes :
« Dieu s'est vengé, leur mort est le prix de leurs crimes » ?
Quel crime, quelle faute ont commis ces enfants

Sur le sein maternel écrasés et sanglants ?
Lisbonne, qui n'est plus, eut-elle plus de vices
Que Londres, que Paris, plongés dans les délices ?
Lisbonne est abîmée, et l'on danse à Paris.
Tranquilles spectateurs, intrépides esprits,
De vos frères mourants contemplant les naufrages,
Vous recherchez en paix les causes des orages :
Mais du sort ennemi quand vous sentez les coups,
Devenus plus humains, vous pleurez comme nous.
Croyez-moi, quand la terre entrouvre ses abîmes
Ma plainte est innocente et mes cris légitimes. [...]

Poème sur le désastre de Lisbonne, Voltaire, 1756.

SUPPLÉMENT AU VOYAGE DE BOUGAINVILLE

Après avoir visité Tahiti et des îles du Pacifique, le comte de Bougainville arrive à Saint-Malo en 1769 accompagné, entre autres, d'un insulaire qui deviendra une attraction dans les salons parisiens mondains. Il publie en 1771, le récit de ses aventures sous le titre *Voyage autour du monde*. Ce livre contribua à créer le mythe d'un paradis tahitien peuplé d'innocents et bons sauvages aux mœurs libérales et naturelles. Diderot décide l'année suivante d'écrire une suite qui est en fait une réflexion sur la découverte et ses conséquences. Dans l'extrait choisi, par exemple, il donne la parole à un sage vieillard tahitien qui refuse l'invasion de son île au nom d'un progrès ou d'une supériorité de la civilisation occidentale. Toutes les justifications qui nourrissent le discours colonialiste et la bonne foi plus ou moins fictive des explorateurs sont dénoncées. La satire est ancrée dans une indignation et une colère que le vocabulaire traduit immédiatement. En arrière-plan c'est le refus d'une occidentalisation et d'une uniformisation du monde que l'on peut entendre, thèmes d'actualité ! Le vieil homme ne veut pas que son îlot de liberté se métamorphose en tristes tropiques dénaturées, exploitées pour le seul bénéfice de riches européens.

C'est un vieillard qui parle ; il était père d'une famille nombreuse. À l'arrivée des Européens, il laissa tomber des regards de dédain sur eux, sans marquer ni étonnement, ni frayeur, ni curiosité. Ils l'abordèrent, il leur tourna le dos et se retira dans sa cabane. Son silence et son souci ne décelaient que trop sa pensée : il gémissait en lui-même sur les beaux jours de son pays éclipsés. Au départ de Bougainville, lorsque les habitants accouraient en foule sur le rivage, s'attachaient à ses vêtements, serraient ses camarades entre leurs bras et pleuraient, ce vieillard s'avança d'un air sévère et dit :
« Pleurez, malheureux Otaïtiens, pleurez, mais que ce soit de l'arrivée et non du départ de ces hommes ambitieux et méchants. Un jour vous les connaîtrez mieux. Un jour ils reviendront le morceau de bois que vous voyez attaché à la ceinture de celui-ci dans une main, et le fer qui pend au côté de celui-là dans l'autre, vous enchaîner, vous égorger ou vous assujettir à leurs extravagances et à leurs vices. Un jour vous servirez sous eux, aussi corrompus, aussi vils, aussi malheureux qu'eux. Mais je me console, je touche à la fin de ma carrière, et la calamité que je vous annonce, je ne la verrai point. Ô Otaïtiens, ô mes amis, vous auriez un moyen d'échapper à un funeste avenir, mais j'aimerais mieux mourir que de vous en donner le conseil. Qu'ils s'éloignent et qu'ils vivent. »

Supplément au voyage de Bougainville, Diderot, 1773.

Bibliographie

POUR TOUT SAVOIR SUR MONTESQUIEU

Jean Lacouture, *Montesquieu, Les vendanges de la liberté*, Le Seuil, 2003.

QUELQUES TEXTES SATIRIQUES DU XXᴱ SIÈCLE

Daeninckx Didier, *Meurtres pour mémoire,* Gallimard, 1984.
Giraudoux Jean, *La Guerre de Troie n'aura pas lieu,* Gallimard, 1935.
Hasek Jaroslav, *Le brave Soldat Chvéïk,* Gallimard, 1932.
McCoy Horace, *On achève bien les chevaux,* Gallimard, 1946
Passilinna Arto, *Le Lièvre de Vatanen,* Denoël, 1995.
Paasilinna Arto, *Le Meunier hurlant,* Denoël, 1996.
Prévert Jacques, *Paroles,* Gallimard, 1948.
Steinbeck John, *La Perle,* Gallimard, 1950.

QUELQUES TEXTES SATIRIQUES DU XVIIIᴱ SIÈCLE

Beaumarchais, *Le Mariage de Figaro,* collection « Bibliolycée », Hachette Éducation, 2002.
Lesage, *Gil Blas de Santillane,* Gallimard, 1973.
Marivaux, *L'Île des esclaves*, collection « Classiques », Hachette Éducation, 1993.
Marivaux, *La Double Inconstance,* collection « Classiques », Hachette Éducation, 1999.
Voltaire, *Candide,* collection « Bibliolycée », Hachette Éducation, 2002.
Voltaire, *Zadig,* collection « Classiques », Hachette Éducation, 1993.

Achevé d'imprimer en Italie par «La Tipografica Varese S.p.A.»
Dépôt légal : Mai 2009 - Edition : 06
16/8692/2